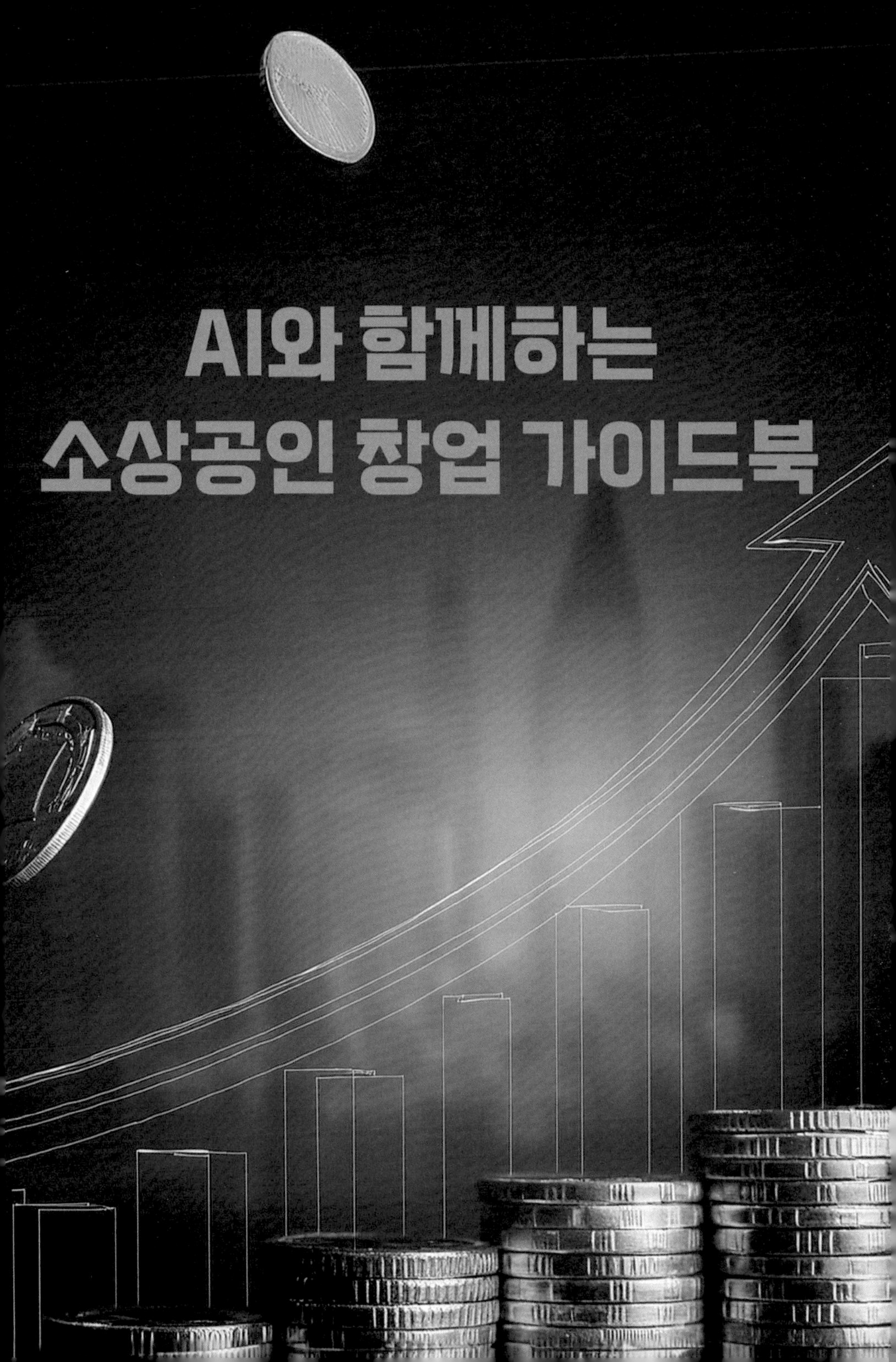
AI와 함께하는
소상공인 창업 가이드북

AI와 함께하는 소상공인 창업 가이드북

발행	2024년 12월 18일
저자	이신
디자인	이신
편집	이신
펴낸이	송태민
펴낸곳	열린 인공지능
등록	2023.03.09(제2023-16호)
주소	서울특별시 영등포구 영등포로 112
전화	(0505)044-0088
이메일	book@uhbee.net
ISBN	979-11-94006-40-4

www.OpenAIBooks.com

AI와 함께하는 소상공인 창업 가이드북

목차

머릿말

제1부 창업 준비 단계

제2부 시장 및 수요 분석

제3부 STP 전략 수립

제4부 마케팅 전략 수립

제5부 사업 계획 및 운영

제6부 성장 및 지속가능성

머릿말

예비 혹은 현장에서 고군분투중인 창업자 여러분,

지금 이 순간, 여러분은 새로운 꿈을 향한 설렘과 두려움 사이에서 고민하고 계실 것입니다. 소상공인의 길은 분명 쉽지 않습니다. 불확실한 시장 환경, 치열한 경쟁, 자금 조달의 어려움 등 수많은 도전과제가 기다리고 있기 때문입니다.

하지만 저는 여러분께 자신 있게 말씀드리고 싶습니다. 지금은 어렵지만, 미래는 분명 희망적이라고. 여러분의 열정과 노력이 있다면 그 어떤 역경도 극복할 수 있을 것이라고 말입니다.

과거의 수많은 소상공인들도 여러분과 같은 고민과 두려움을 안고 출발선에 섰습니다. 하지만 그들은 포기하지 않고 끊임없이 도전했습니다. 고객의 needs를 파악하기 위해 귀 기울였고, 끊임없는 혁신을 통해 새로운 가치를 창출했습니다. 실패를 두려워하기보다 실패에서 배우는 자세로 성장해 갔습니다.

여러분도 이제 그 길을 시작하려 합니다. 앞으로 만날 크고 작은 어려움들이 두렵겠지만, 그 순간마다 자신을 믿고 한 걸음 한 걸음 나아가시기 바랍니다. 여러분의 곁에는 가족, 친구 등 든든한 지원군이 있습니다. 그리고 이 책을 통해 이론적인 지식과 OPEN AI를 활용하는 방법을 얻게 될 것입니다.

불확실한 미래를 향한 여정이 두렵겠지만, 포기하지 마십시오. 오히려 역경 속에서 더 단단해지고 성장할 것입니다. 작은 성취의 기쁨들이 모여 큰 성공으로 이어질 것입니다. 여러분의 작은 시작이 더 나은 세상을 만드는 씨앗이 될 것을 믿어 의심치 않습니다.

이제 새로운 꿈을 향해 첫걸음을 내딛으십시오. 앞으로 펼쳐질 여러분의 창업 스토리를 진심으로 응원하겠습니다. 여러분의 도전과 열정이 대한민국 경제에 활기를 불어넣고, 새로운 희망의 이야기를 써 나갈 것을 믿어 의심치 않습니다.

파이팅!

2024년 10월의 늦은 밤.

지은이 이신 배상

제1부 창업 준비 단계

제1부 창업 준비 단계

창업의 이해

1.1 창업의 정의와 중요성

창업은 새로운 사업을 시작하는 것을 의미합니다. 단순히 회사를 설립하는 것 이상으로, 창업가는 혁신적인 아이디어를 바탕으로 제품이나 서비스를 개발하고 시장에 선보이며 고객의 니즈를 충족시키는 활동을 수행합니다. 창업은 경제 발전의 원동력이 되는 중요한 과정입니다.

개인적 차원에서 창업은 자아실현과 경제적 성취의 기회가 됩니다. 자신의 열정과 역량을 바탕으로 사업을 성공적으로 이끌어 갈 때 큰 보람을 느낄 수 있습니다. 사회적으로는 일자리 창출과 신산업 발굴로 이어집니다. 새로운 기업이 만들어지면 고용이 늘어나고, 기술 혁신이 촉진되어 경제가 활성화됩니다. 특히 청년 창업이 활발해지면 실업률 감소와 경제 성장에 기여할 수 있습니다.

정부에서도 창업의 중요성을 인식하고 다양한 지원책을 마련하고 있습니다. 창업 교육, 멘토링, 자금 지원 등을 통해 예비 창업자의 성공 가능성을 높이고 있습니다. 규제 완화, 세제 혜택 등의 제도적 지원도 이루어지고 있습니다. 이를 통해 창업 친화적인 환경이 조성되고, 창업 생태계가 선순환되는 효과를 기대할 수 있습니다.

1.2 창업 동기와 유형

창업에는 다양한 동기가 작용합니다. 먼저 생계형 창업인 '필요 창업'이 있습니다. 실직이나 은퇴로 인한 경제적 어려움을 해결하기 위해 창업에 뛰어드는 경우입니다. 다음으로 시장의 기회를 포착하고 이를 사업화하려는 '기회 창업'이 있습니다. 새로운 트렌드나 니즈를 발견하고, 이를 충족시킬 수 있는 아이템을 개발하는 유형입니다. 마지막으로 자아실현과 성취감을 추구하는 '성취 창업'이 있습니다. 자신의 꿈과 열정을 사업으로 실현하고자 하는 동기에서 출발합니다.

창업의 유형도 다양합니다. 프랜차이즈 창업은 본사의 브랜드와 운영 노하우를 활용할 수 있어 안정성이 높습니다. 가맹비나 로열티 등의 비용이 발생하지만, 초기 리스크를 낮출 수 있는 장점이 있습니다. 온라인 쇼핑몰, 블로그, 유튜브 등을 활용한 온라인 비즈니스도 인기입니다. 오프라인 매장에 비해 초기 비용이 적게 들고, 시간과 장소에 구애받지 않는 장점이 있습니다. 음식점, 소매점 등 전통적인 자영업 창업도 여전히 높은 비중을 차지합니다. 상권 분석과 차별화 전략이 주효합니다. 제조업 분야에서는 기술 기반 창업이 활발합니다. 뛰어난 기술력을 바탕으로 혁신적 제품을 선보이는 벤처기업들이 대표적입니다. 사회적 기업, 협동조합 등 사회적 가치 실현을 위한 창업도 증가 추세입니다.

1.3 창업 과정 개요

창업의 출발점은 사업 아이템을 선정하는 것입니다. 철저한 시장 조사와 자기 분석을 통해 유망한 사업 기회를 포착해야 합니다. 소비 트렌드, 라이프 스타일 변화, 새로운 기술 등을 살펴보고 창업 아이디어를 구체화해야 합니다. 이때 자신의 관심사, 경험, 전문성도 고려해야 합니다.

사업 구상이 어느 정도 잡히면 본격적인 시장 분석에 돌입합니다. 고객, 경쟁사, 공급자 등 이해관계자를 파악하고 시장 규모와 성장성을 예측합니다. 경쟁사 벤치마킹을 통해 차별화 포인트를 모색하고, SWOT 분석으로 사업 타당성을 점검합니다.

시장성이 검증되면 구체적인 사업계획서를 작성합니다. 사업 목표와 추진 전략, 마케팅 계획, 조직 및 인력 운영 방안, 재무 계획 등을 상세히 기술합니다. 수익성과 현금 흐름을 꼼꼼히 따져 재무적 타당성을 높여야 합니다.

다음 단계는 사업 운영에 필요한 자금을 확보하는 것입니다. 창업자 본인의 자금이 가장 기본이 되지만, 규모가 커질수록 외부 자금 조달이 필요합니다. 정책 자금 융자, 민간 금융기관 대출, 투자 유치 등 다양한 방안을 강구할 수 있습니다. 자금 조달 시에는 과도한 차입을 경계하고 자금 운용 계획을 철저히 세워야 합니다.

이후에는 사업자 등록, 인허가 취득, 매장 입지 선정 및 인테리어 등 사업 개시에 필요한 실무 절차를 진행합니다. 법적 요건을 꼼꼼히 체크하고 관련 기관에 문의하여 절차상 하자가 없도록 해야 합니다. 입지 선정 시 유동 인구, 임대료, 경쟁 상황 등을 종합적으로 고려해야 합니다.

사업 준비를 마치고 개점에 들어가면 본격적인 영업 활동이 시작됩니다. 훌륭한 제품과 서비스는 물론, 적극적인 마케팅과 판로 개척이 요구됩니다. 효율적인 조직 관리, 고객 응대, 매출 분석 등 점주로서의 경영 능력이 필요합니다. 사업 운영 과정에서 부딪히는 크고 작은 위기를 슬기롭게 대처해 나가야 합니다. 필요하다면 컨설팅을 받아 경영 개선을 도모할 수 있습니다.

창업 초기에는 판로 확대에 힘쓰면서 안정적인 매출 기반을 다져야 합니다. 이후에는 사업을 확장하고 경쟁력을 높여 가는 성장 단계로 접어듭니다. R&D 투자를 강화하여 신제품을 개발하고, 추가 직원을 채용하여 사업 규모를 키울 수 있습니다. 해외 진출, 프랜차이즈화 등 사업 확장 전략도 고민해 볼 만합니다.

1.4 성공/실패 요인 분석

창업의 성공 여부는 다양한 요인에 의해 좌우됩니다. 우선 차별화된 아이템으로 시장에서 경쟁우위를 점하는 것이 관건입니다. 소비자 니즈에 부합하면서도 독창성을 갖춘 제품이나 서비스로 시장의 주목을 받아야 합니다. 가격과 품질, 디자인 등 여러 요소를 고려한 차별화 전략이 필요합니다.

시장에 대한 정확한 이해도 중요한 성공 요인입니다. 목표 고객층의 특성과 니즈를 파악하고, 업계 동향과 경쟁 상황을 예의주시해야 합니다. 시장 변화에 기민하게 대응하고 새로운 기회를 발굴할 수 있어야 합니다. 시의적절한 마케팅 활동으로 제품의 우수성을 알리고 브랜드 인지도를 높이는 것도 관건입니다.

자금력은 사업의 안정적 운영을 좌우하는 핵심 요소입니다. 창업 초기 뿐 아니라 향후 성장 단계에서도 원활한 자금 확보가 뒷받침 되어야 합니다. 과도한 투자와 방만한 지출은 자칫 자금 경색을 초래할 수 있습니다. 건전한 재무구조를 갖추고 지출을 관리할 수 있는 역량이 요구됩니다.

인적 자원 또한 성공의 열쇠를 쥡니다. 창업가 본인은 물론, 직원들의 열정과 역량이 사업 성패에 큰 영향을 미칩니다. 유능한 인재를 영입하고 육성하는 한편, 효율적인 조직 관리가 병행되어야 합니다. 바람직한 조직문화를 정착시켜 구성원들의 창의성과 자발성을 이끌어내는 리더십도 요구됩니다.

위기 대응 능력은 기업의 생사를 가르는 요소입니다. 경기 변동, 정책 및 규제 변화, 경쟁 심화 등 다양한 위기 상황이 도사리고 있기 때문입니다. 리스크 관리 시스템을 갖추고 만일의 사태에 대비해야 합니다. 위기 발생 시 신속한 의사결정과 실행력을 발휘하여 피해를 최소화할 수 있어야 합니다.

실패 사례를 살펴보면 몇 가지 공통적인 원인이 드러납니다. 먼저 시장성이 검증되지 않은 아이템을 선정한 경우입니다. 사업 구상 단계에서 철저한 시장 조사와 수요 예측이 이루어지지 않아 고전을 면치 못하는 경우가 많습니다. 과도한 초기 투자로 자금난에 시달리는 것도 실패의 주요인입니다. 자금 조달 계획과 투자 규모를 적정 수준에서 관리하지 못하면 재정적 파탄을 맞게 됩니다.

경영 미숙도 실패를 부르는 요인입니다. 시장 환경 변화를 놓치거나 소비자 니즈를 제대로 파악하지 못해 적절한 대응책을 마련하지 못하는 경우입니다. 원가 관리, 재고 관리, 인력 관리 등 경영 관리 능력이 부족해도 어려움을 겪게 됩니다. 업무 표준화, 정보화 시스템 구축 등을 통한 경영 효율화가 이루어지지 않으면 한계에 봉착하기 쉽습니다.

예상치 못한 외부 환경 변화도 실패의 요인이 됩니다. 경기 침체, 소비 심리 위축, 정책 및 규제 변화 등은 창업 기업에게 큰 타격을 줍니다. 특히 자금력이 취약한 초기 기업일수록 환경 변화에 취약할 수밖에 없습니다. 경영 다각화, 판로 다변화 등 리스크 분산 전략을 통해 환경 변화에 대응할 수 있는 역량을 길러야 합니다.

실패는 창업 과정에서 피할 수 없는 경험입니다. 무모한 도전보다는 충분한 준비와 검증 과정을 거쳐 실패 가능성을 낮추는 것이 좋습니다. 실패를 겪더라도 좌절하기보다는 실패의 원인을 냉정히 분석하고 교훈을 얻는 자세가 필요합니다. 실패를 발판 삼아 재기에 나설 수 있는 의지와 전략적 사고가 실패를 성공으로 전환시킬 수 있습니다.

1.5 창업가 마인드셋과 역량

창업의 성패는 사업 아이템이나 자금 못지않게 창업가의 자질에 좌우됩니다. 성공적인 창업을 위해서는 창업가 특유의 마인드셋과 역량을 갖추는 것이 중요합니다.

창업가 정신은 기업가 정신과 유사한 개념으로, 혁신성, 진취성, 위험 감수성 등을 핵심 요소로 합니다. 관습에 안주하지 않고 새로운 가치를 창출하려는 혁신 마인드가 필요합니다. 불확실성 앞에서도 적극적으로 도전하는 진취성과 위험을 감내할 수 있는 모험심도 요구됩니다. 실패를 두려워하지 않고 실패로부터 배우며 재도전하는 의지도 창업가 정신의 중요한 부분입니다.

열정은 창업가에게 가장 중요한 자질입니다. 사업에 대한 열정이 있어야 역경에 굴하지 않고 도전을 지속할 수 있습니다. 자신이 하는 일에 대한 자부심과 애정은 사업 성공의 원동력이 되어줍니다. 고객과 시장에 대한 열정, 구성원을 아끼고 이끄는 열정은 창업가의 필수 덕목이라 할 수 있습니다.

사업을 성공으로 이끌기 위해서는 전략적 사고, 판단력, 실행력 등을 갖춘 경영 역량이 요구됩니다. 복잡한 시장 환경을 꿰뚫어보는 통찰력으로 사업 기회를 포착할 수 있어야 합니다. 수많은 불확실성 속에서 신속하고 정확한 의사 결정을 내릴 수 있는 판단력도 CEO의 자질입니다. 계획한 바를 조직의 역량을 총동원해 실행에 옮길 수 있는 추진력 역시 중요합니다.

기업의 생존과 성장을 위해서는 재무, 회계, 마케팅, 인사, 생산 등 경영 전반에 대한 이해가 필수적입니다. 전문 지식이 부족하더라도 기본 개념과 원리를 학습하고 전문가와 소통할 수 있는 지적 능력을 갖추어야 합니다. 조직을 이끌고 동기부여 하는 리더십, 이해관계자들과 소통하고 협력을 이끌어내는 관계 구축 능력도 중요한 자질입니다.

창업을 준비하는 예비 창업가라면 다양한 방법으로 역량을 강화해 나가야 합니다. 창업 관련 교육 프로그램에 참여하여 체계적인 학습을 해나가는 것이 도움됩니다. 세미나, 박람회 등에 참가하여 업계 동향을 파악하고 인적 네트워크를 쌓는 것도 유익합니다. 선배 창업가를 멘토로 만나 조언과 노하우를 얻는 것도 좋은 방법입니다. 무엇보다 실전 경험을 쌓는 것이 중요합니다. 인턴이나 단기 경력으로 기업 현장을 경험하거나 소규모 사업을 테스트 삼아 운영해보는 것도 좋습니다.

정부와 지자체, 민간 기관에서도 예비 창업가의 역량 강화를 위한 다양한 프로그램을 제공하고 있습니다. 창업 교육, 멘토링, 네트워킹 등을 통해 실무 감각을 기를 수 있는 기회가 마련되어 있습니다. 창업에 실질적으로 도움되는 정보와 지원책을 적극 활용하여 만반의 준비를 해나가야 합니다.

성공한 창업가들의 사례를 살펴보면 독특한 개성과 가치관을 가진 이들이 많다는 점을 알 수 있습니다. 이들은 기존의 틀에 박힌 사고에서 벗어나 새로운 것에 도전하고 가치를 창출해냈습니다. 자신만의 철학과 소신을 가지고 사업을 추진했으며, 끊임없는 자기혁신을 통해 역량을 강화해 나갔습니다. 고난과 역경 속에서도 희망을 잃지 않고 인내하며 기회를 포착해 냈습니다. 이러한 역할 모델을 통해 예비 창업가는 창업가 정신과 역량의 중요성을 되새길 수 있습니다.

OPEN AI 더보기

프롬프트(Prompt)는 사용자가 AI 모델에 입력하는 텍스트나 명령어를 의미합니다. 대화형 AI에서 프롬프트는 AI에게 특정한 응답이나 작업을 요청하기 위해 사용자가 던지는 질문, 지시, 메시지 등을 포함합니다. 즉, 프롬프트는 사용자와 AI 모델 간의 대화를 시작하고 이끌어가는 역할을 합니다.

OpenAI의 ChatGPT와 같은 대화형 AI는 사용자의 프롬프트에 따라 다음과 같이 작동합니다:

1. 사용자의 프롬프트 입력: 사용자가 자연어 형태의 텍스트로 질문이나 요청 사항을 입력합니다.

2. 프롬프트 분석: AI 모델은 사용자의 프롬프트를 자연어 처리(NLP) 기술을 통해 분석하고 이해합니다. 문맥, 의도, 핵심 키워드 등을 파악합니다.

3. 관련 정보 검색: 분석된 프롬프트를 바탕으로 AI 모델은 방대한 학습 데이터에서 관련 정보를 검색하고 수집합니다.

4. 응답 생성: 수집된 정보를 바탕으로 AI 모델은 사용자의 프롬프트에 적절한 응답을 생성합니다. 이 때 언어 모델, 기계 학습 알고리즘 등 다양한 기술이 활용됩니다.

5. 응답 전달: 생성된 응답은 사용자에게 텍스트 형태로 전달되며, 필요에 따라 이미지, 표 등도 함께 제공될 수 있습니다.

이러한 일련의 과정은 사용자의 프롬프트에 따라 실시간으로 반복되며, 마치 사람과 대화를 나누는 것처럼 자연스러운 상호작용을 가능하게 합니다. 따라서 사용자는 명확하고 구체적인 프롬프트를 입력할수록 원하는 답변을 얻을 가능성이 높아집니다.

한편 ChatGPT와 같은 AI 모델은 웹 상의 방대한 데이터를 학습했지만, 완벽한 정보를 제공하지는 못합니다. 따라서 프롬프트에 대한 응답을 맹신하기보다는 비판적으로 평가하고, 추가적인 확인과 검증이 필요합니다. 프롬프트 엔지니어링이라고 불리는 기술을 통해 사용자는 더욱 효과적인 프롬프트 설계 방법을 학습함으로써 AI와의 대화에서 높은 품질의 결과를 얻을 수 있습니다.

이러한 일련의 과정은 사용자의 프롬프트에 따라 실시간으로 반복되며, 마치 사람과 대화를 나누는 것처럼 자연스러운 상호작용을 가능하게 합니다. 따라서 사용자는 명확하고 구체적인 프롬프트를 입력할수록 원하는 답변을 얻을 가능성이 높아집니다.

한편 ChatGPT와 같은 AI 모델은 웹 상의 방대한 데이터를 학습했지만, 완벽한 정보를 제공하지는 못합니다. 따라서 프롬프트에 대한 응답을 맹신하기보다는 비판적으로 평가하고, 추가적인 확인과 검증이 필요합니다. 프롬프트 엔지니어링이라고 불리는 기술을 통해 사용자는 더욱 효과적인 프롬프트 설계 방법을 학습함으로써 AI와의 대화에서 높은 품질의 결과를 얻을 수 있습니다

사업 아이템 선정

2 사업 아이템 선정

창업의 성패를 가름하는 가장 중요한 요소 중 하나가 바로 사업 아이템입니다. 사업 아이템이란 창업하고자 하는 사업의 핵심 상품이나 서비스를 말합니다. 시장에서 누구에게 무엇을 어떻게 제공할 것인지를 결정하는 것이 사업 아이템 선정의 출발점입니다.

유망한 사업 아이템은 몇 가지 조건을 갖추어야 합니다. 첫째는 시장성입니다. 충분한 잠재 고객이 있어야 하고 향후 성장 가능성도 있어야 합니다. 경쟁이 치열한 레드오션보다는 새로운 시장을 개척할 수 있는 블루오션 아이템이 유리합니다. 둘째는 수익성입니다. 제품 개발과 생산, 마케팅에 소요되는 비용을 상회하는 매출을 올릴 수 있어야 합니다. 원가 경쟁력을 갖출 수 있는지, 적정 수준의 가격 책정이 가능한지 따져보아야 합니다.

셋째는 실현 가능성입니다. 아이디어가 아무리 뛰어나도 기술적, 법적, 재무적 제약으로 인해 구현이 어려우면 무용지물입니다. 창업가가 보유한 기술력과 자금력, 인적 네트워크를 고려해 실행 가능한 아이템을 선택해야 합니다. 넷째, 창업가 자신의 역량 및 관심사와의 부합 여부를 살펴보아야 합니다. 자신이 잘 알고 좋아하는 분야, 전문성과 경험을 살릴 수 있는 분야의 아이템이 성공 확률이 높습니다.

사업 아이템 발굴을 위해서는 우선 시장의 트렌드와 고객의 니즈를 파악해야 합니다. 사회 환경 변화, 인구통계학적 특성, 라이프 스타일 등을 분석하여 새로운 트렌드를 예측하고 이에 맞는 아이템을 모색합니다. 잠재 고객의 불편 사항이나 욕구를 찾아내는 것도 중요합니다. 설문조사, 인터뷰 등 정성, 정량적 조사 방법을 활용할 수 있습니다.

아이디어 발상 과정에서는 다양한 창의 기법을 동원하는 것이 도움됩니다. 마인드맵, 브레인스토밍 등을 통해 사고의 폭을 넓히고 확산적 사고를 할 수 있습니다. 기존의 제품이나 서비스의 속성을 결합, 대체, 제거하는 등의 방식으로 새로운 아이디어를 발상할 수 있습니다.

시장을 선도하는 국내외 기업의 사업 모델을 참고하는 것도 좋은 방법입니다. 성공적인 비즈니스 모델의 특징과 차별화 포인트를 벤치마킹하되, 단순 모방에 그치지 않고 차별화할 수 있는 방안을 고민해야 합니다.

이러한 과정을 통해 개발된 아이디어는 엄격한 평가를 통해 실행 단계에 들어갑니다. 사업성과 수익성, 실현 가능성 등의 기준으로 평가하고 순위를 매깁니다. 전문가나 멘토의 의견을 구하는 것도 평가의 객관성을 높이는 데 도움이 됩니다. 시장성과 기술성, 사업화 가능성 등을 담은 사업 타당성 분석 보고서를 작성하면 보다 구체적인 검토가 가능합니다.

잠재적 위험 요인과 해결 방안도 사전에 고려해야 합니다. 특허권이나 규제 등 법적인 이슈, 기술 확보의 어려움, 모방의 용이성 등 다양한 위험 요소와 대응 방안을 미리 점검해야 합니다.

이렇게 최종 선정된 유망 아이템은 구체적인 컨셉 정의 단계로 넘어갑니다. 제품과 서비스의 구성과 특징, 차별화 포인트, 가격과 유통 방식 등을 구체화하는 것입니다. 주력 상품 및 타겟 고객층을 명확히 설정하고, 독특한 가치 제안으로 브랜드 아이덴티티를 확립하는 것이 중요합니다.

사업 아이템을 선정할 때에는 몇 가지 유의할 점이 있습니다. 먼저 고객의 니즈에 기반한 시장 검증이 선행되어야 합니다. 창업자의 일방적인 아이디어 구현이 아니라 고객이 원하는 가치를 제공할 수 있는지가 관건입니다. 실제 고객을 대상으로 한 리서치를 바탕으로 제품과 서비스를 정교화 해나가야 합니다.

둘째로 경쟁 상황과 진입 장벽에 대한 냉정한 분석이 필요합니다. 유사한 제품과 서비스가 이미 시장에 존재하는 경우 경쟁력 확보 방안을 모색해야 합니다. 가격이나 품질, 마케팅, 유통 측면에서의 우위 전략을 세워야 합니다. 시장 선점을 위한 속도전에서 뒤처질 경우 진입 자체가 쉽지 않을 수 있다는 점도 고려해야 합니다.

셋째, 혁신성과 부가가치를 갖춘 아이템 발굴에 주력해야 합니다. 단순히 기존 상품을 모방하는 것은 지양해야 합니다. 기술력이나 창의성을 바탕으로 기존 제품의 문제를 해결하거나 새로운 가치를 창출할 수 있어야 합니다. 원가 경쟁력 확보가 어려운 상황에서는 고부가가치 전략이 유효합니다.

넷째, 아이템 선정 과정에서 객관성을 유지하는 것이 중요합니다. 창업자 개인의 선호도나 욕심이 지나치게 개입되어선 안 됩니다. 시장의 반응과 객관적 데이터에 귀를 기울이고 전문가의 의견을 겸허히 수용할 수 있어야 합니다.

마지막으로 아이템을 확정했다고 해서 안주해서는 안 됩니다. 시장의 반응을 예의주시하여 지속적인 개선과 보완 작업을 해나가야 합니다. 고객의 피드백을 수렴하고 제품과 서비스의 질을 높여가는 노력이 뒤따라야 합니다.

최근의 창업 트렌드를 살펴보면 기술 기반의 혁신적 아이템이 주목받고 있습니다. IT, BT, NT 등 첨단 기술을 활용한 제품과 서비스가 새로운 시장을 열어가고 있습니다. 제조업과 서비스업의 경계를 넘나드는 융복합 아이템도 트렌드로 자리 잡고 있습니다. 기존 산업에 ICT를 접목하거나 이종 산업 간 결합을 통해 시너지를 창출하는 식입니다.

한편 사회적 가치 실현을 목표로 하는 착한 소비 트렌드도 주목할 만합니다. 친환경, 공정 무역, 동물복지 등 윤리적 소비에 대한 관심이 높아지면서 관련 아이템도 증가하는 추세입니다. 업사이클링, 공유경제 등 환경 보호와 자원 절약에 기여하는 비즈니스 모델도 관심을 끌고 있습니다.

실버산업, 펫코노미 등 인구통계학적 변화에 따른 새로운 수요도 창업 기회가 될 수 있습니다. 고령화 추세에 따라 시니어 대상의 제품과 서비스 수요가 늘어나고, 반려동물 인구 증가로 관련 산업이 성장하고 있습니다. 건강과 웰빙에 대한 관심이 높아지면서 헬스케어, 라이프스타일 관련 분야도 유망합니다.

이처럼 시대적 흐름과 트렌드를 읽는 통찰력은 유망 아이템 발굴의 출발점이 됩니다. 거시 트렌드와 소비자 니즈 변화에 민감하게 반응하고, 자신만의 차별화된 비즈니스 모델을 고민한다면 창업의 성공 가능성은 한층 높아질 것입니다.

OPEN AI 더보기

소상공인이 사업 아이템을 선정하는 데 OpenAI 기술을 활용할 수 있는 몇 가지 프롬프트를 제안드릴 테니, 이를 기반으로 소상공인이 사용할 수 있는 툴을 만드는 데 도움이 될 것입니다.

1. 시장 분석을 위한 프롬프트:

- "현재 〔지역명〕에서 인기 있는 소상공인 사업 아이템은 무엇인가요?"

- "최근 〔업계명〕에서 성장하는 트렌드는 무엇인가요?"

- "소규모 비즈니스에 적합한 〔업종명〕의 시장 규모와 경쟁 상황은 어떻게 되나요?"

2. 고객 특성 분석 프롬프트:

- "어떤 유형의 고객이 〔제품/서비스명〕에 가장 관심을 가질 가능성이 높은가요?"

- "〔지역명〕에서 〔제품/서비스명〕의 주요 고객층은 누구인가요?"

3. 수익성 분석 프롬프트:

- "〔제품/서비스명〕을 시작하는 데 필요한 초기 비용과 예상 수익은 얼마인가요?"

- "〔제품/서비스명〕 사업을 위한 가장 비용 효율적인 마케팅 전략은 무엇인가요?"

4. 창의적 아이디어 제안 프롬프트:

- "지속 가능하면서도 창의적인 〔업종명〕 사업 아이디어는 무엇이 있을까요?"

- "소규모로 시작할 수 있는 혁신적인 [업종명] 사업 모델을 제안해주세요."

이 프롬프트들은 소상공인이 시장 분석, 고객 인사이트, 수익성 계획 등 다양한 관점에서 사업 아이템을 고려할 수 있도록 도와줄 수 있습니다. 각 질문을 특정 지역, 업종, 제품 또는 서비스에 맞게 조정하여 사용할 수 있습니다.

창업 자금 계획

3. 창업 자금 계획

창업의 성패를 가름하는 데 있어 자금 문제만큼 중요한 것이 없습니다. 아무리 좋은 아이템과 계획을 갖고 있어도 자금이 뒷받침되지 않으면 사업을 시작하기 어렵기 때문입니다. 자금 부족은 창업 실패의 주요 원인 중 하나로 꼽힙니다. 운영 자금의 부족으로 인건비나 재료비를 충당하지 못해 사업이 중단되는 경우가 비일비재합니다. 창업 자금 계획은 이처럼 사업의 시작과 지속을 좌우하는 핵심 사안인 만큼 치밀하게 수립해야 합니다.

창업 자금 계획의 첫걸음은 소요 자금의 규모를 예측하는 것입니다. 사업 운영에 필요한 자금의 내역과 금액을 구체적으로 산정해야 합니다. 우선 사업장 확보에 필요한 보증금이나 권리금 등 초기 투자비용을 계산합니다. 필요한 설비와 집기를 구매하거나 임대하는 데 드는 비용, 인테리어 공사비 등도 포함해야 합니다.

초기 투자비용 못지않게 중요한 것이 운전자금입니다. 사업 초기에는 수입보다 지출이 많을 수밖에 없습니다. 인건비, 재료비, 마케팅 비용 등 당장 현금 유출이 발생하는 항목들이 있기 때문입니다. 최소 6개월에서 1년 정도는 수입 없이 버틸 수 있을 만큼의 자금을 확보해 두는 것이 좋습니다. 여기에 창업자 본인의 생활비까지 고려해야 합니다. 사업이 안정화될 때까지 수입이 없더라도 생활이 가능할 수 있도록 충분한 여유자금을 계획해 두어야 합니다.

소요 자금의 규모가 산정되면 이를 조달할 방법을 강구해야 합니다. 조달 방법으로는 크게 자기자본, 정책 자금, 금융기관 대출, 투자 유치 등이 있습니다. 가장 먼저 고려할 수 있는 것은 창업자 본인의 자금입니다. 예금이나 적금, 보험 해약 등을 통해 동원할 수 있는 자금을 최대한 활용하는 것이 부담이 적습니다. 가족이나 지인으로부터 차입하는 것도 방법입니다. 다만 이 경우 명확한 상환 계획을 세워 신뢰를 잃지 않도록 해야 합니다.

정부에서도 창업 활성화를 위해 다양한 지원책을 마련하고 있습니다. 중소벤처기업부의 창업사업화 지원사업, 지자체의 창업 지원금 등을 적극 활용할 필요가 있습니다. 이들 사업은 사업 계획의 우수성을 심사하여 선정된 창업자에게 사업화 자금을 지원합니다. 또한 정책자금 융자를 통해 저리의 대출을 받을 수도 있습니다. 다만 이를 위해서는 사전에 창업 관련 교육을 이수하거나 전문가의 컨설팅을 받아야 하는 등 준비 과정이 필요합니다.

일반 금융기관을 통한 대출도 주요한 자금 조달 수단입니다. 은행권 창업 대출 상품, 신용보증기금이나 기술보증기금의 보증 서비스 등을 활용할 수 있습니다. 다만 금융기관을 통한 차입에는 이자 부담이 따르므로 사업 초기 수익성을 면밀히 따져 상환 계획을 세워야 합니다. 무리한 차입은 자칫 자금 경색으로 이어질 수 있음을 명심해야 합니다.

유망한 아이템으로 사업 성장성을 인정받을 수 있다면 외부 투자 유치도 가능합니다. 창업 초기 단계에서는 벤처캐피탈보다는 엔젤투자자를 통한 자금 조달이 현실적입니다. 엔젤투자자는 스타트업에 투자하고 경영을 지원하는 개인 투자자들입니다.

이들은 단순히 자금 지원에 그치지 않고 경영 노하우와 네트워크도 함께 제공하므로 창업가에게는 큰 도움이 됩니다. 엔젤투자를 유치하기 위해서는 사업 계획의 우수성과 수익성을 입증할 수 있어야 합니다. IR 자료 작성, 사업 계획 피칭 등을 통해 투자자의 관심과 신뢰를 얻는 노력이 필요합니다.

자금 조달 계획을 세울 때에는 조달 수단별 장단점을 잘 파악해야 합니다. 정책 자금의 경우 무상 지원이나 낮은 금리로 부담이 적다는 장점이 있지만 지원 규모가 크지 않고 활용 범위도 제한적입니다. 금융기관 대출은 비교적 큰 규모의 자금 조달이 가능하지만 담보나 신용보증 등 까다로운 조건을 충족해야 합니다. 투자 유치는 즉각적인 상환 부담은 없지만 지분 희석에 따른 경영권 간섭이 있을 수 있습니다. 이처럼 각 방법의 특성을 고려하여 자금 조달 포트폴리오를 구성해야 합니다.

조달한 자금을 어떻게 운용할지도 구체적인 계획을 세워야 합니다. 자금의 투입 시기와 사용 용도를 면밀히 검토하여 계획성 있게 집행해야 합니다. 수입과 지출의 시기를 고려하여 적정 수준의 운전자금을 보유하도록 해야 합니다. 부족 자금이 발생할 것으로 예상되는 시점을 미리 파악하여 추가적인 조달 계획도 준비해 두어야 합니다.

사업이 성장하고 안정화되는 단계에 따라 자금 운용 전략도 달라져야 합니다. 창업 초기에는 제한된 자금을 핵심 부분에 집중 투자하는 것이 중요합니다. 불요불급한 지출은 최소화하고 수익성 있는 사업 영역에 자금을 투입해야 합니다. 사업이 성장 궤도에 오르면 운전자금을 확충하고 설비 투자 등을 통해 사업을 확장하는 데 자금을 활용할 수 있습니다. 사업이 안정기에 접어들면 일정 부분 여유자금을 확보한 뒤 다각화나 신사업 투자 등에 나설 수도 있을 것입니다.

자금 조달뿐 아니라 체계적인 자금 관리 역시 중요합니다. 수입과 지출을 꼼꼼히 기록하고 정기적으로 점검하여 자금 흐름을 파악해야 합니다. 매출 기반이 취약한 초기 단계에서는 지출 관리에 더욱 신경 써야 합니다. 불필요한 비용을 줄이고 자금을 효율적으로 사용하려는 노력이 필요합니다. 매달 일정 부분을 비상자금으로 적립하는 습관도 좋습니다. 만일의 경영 위기에 대비할 수 있는 안전장치가 될 수 있기 때문입니다.

전문적인 자금 관리가 어렵다면 외부 전문가의 도움을 받는 것도 좋은 방법입니다. 재무 설계사나 세무사, 창업 컨설턴트 등 전문가들과 상의하여 최적의 자금 운용 방안을 모색할 수 있습니다. 창업 초기의 자금난을 극복하고 안정적인 재무구조를 갖추는 것이야말로 지속 성장의 토대가 될 것입니다.

창업은 새로운 사업에 도전하는 과정인 만큼 불확실성을 내포하고 있습니다. 매출 규모나 수익성을 정확히 예측하기 어려운 상황에서 자금 계획을 세우는 것이 쉽지만은 않습니다. 때문에 다양한 시나리오를 고려하여 유연하게 대처할 수 있어야 합니다. 자금 동원 가능성을 고려하여 지출 규모를 조정하고, 상황 변화에 맞춰 자금 운용 계획을 수정하는 유연성이 필요합니다.

무엇보다 창업자 스스로 재무 관리 역량을 갖추는 것이 중요합니다. 자금 조달 방법, 재무제표 작성과 분석, 미래 현금 흐름 예측 등 재무 관리의 기본기를 익혀야 합니다. 나아가 사업 운영 과정에서 자금 관리 상황을 예의주시하며 재무 리스크에 선제적으로 대응할 수 있어야 합니다. 외부 전문가의 조언을 참고하되 궁극적인 의사결정과 책임은 창업자 자신에게 있음을 잊어서는 안 됩니다.

창업 자금 계획은 사업 아이템 선정, 시장 분석 등과 함께 창업 준비의 핵심 과제입니다. 자금 조달과 운용, 관리 전략을 모두 아우르는 종합적인 계획 수립이 필요합니다. financial plan은 사업 계획서의 핵심 구성 요소이기도 합니다. 창업 교육이나 전문가 상담 등을 통해 관련 역량을 꾸준히 강화해 나가야 할 것입니다.

창업은 그 자체로 위험을 감수하는 행위입니다. 자금 조달의 어려움, 예기치 못한 자금 유출 등 다양한 돌발 상황이 발생할 수 있습니다. 이를 극복하기 위해서는 철저한 계획과 함께 도전 정신, 위기 대처 능력이 필요합니다. 때로는 계획대로 되지 않는 상황도 겪게 될 것입니다. 그럴 때마다 좌절하기보다는 위기를 기회로 삼아 재도약의 발판을 마련해야 합니다. 창업가의 도전 정신과 위기관리 능력이야말로 지속 가능한 성장의 원동력이 될 것입니다.

OPEN AI 더보기

창업자금 계획에 도움을 줄 수 있는 프롬프트를 사용하는 것은 창업 준비 과정에서 매우 중요합니다. 이러한 프롬프트들은 창업자가 필요한 자금을 정확하게 예측하고, 효율적으로 자금을 확보하며 관리할 수 있도록 도와줍니다. 다음은 창업자금 계획에 도움이 될 수 있는 몇 가지 프롬프트입니다:

1. 자금 요구 분석:

- "특정 업종의 소상공인 창업을 위해 필요한 초기 투자 비용은 얼마인가요?"

- "소규모 [업종명] 사업을 시작할 때 고려해야 할 필수 비용 항목은 무엇인가요?"

2. 자금 조달 전략:

- "[업종명] 창업을 위한 자금 조달 옵션에는 어떤 것들이 있나요?"

- "소상공인을 위한 정부 지원금 또는 창업 대출 정보를 알려주세요."

3. 예산 계획 및 관리:

- "소규모 사업의 월별 운영 비용 계획은 어떻게 세워야 하나요?"

- "창업 초기에 예상치 못한 비용을 관리하기 위한 팁은 무엇인가요?"

4. 수익 예측 및 회수 계획:

- "〔제품/서비스명〕 사업의 예상 수익과 손익분기점은 언제인가요?"

- "소규모 〔업종명〕 사업에서 수익을 극대화하기 위한 전략은 무엇인가요?"

이러한 프롬프트들은 창업자가 자금의 규모, 자금 조달 방법, 비용 관리 및 수익성 계획을 체계적으로 이해하고 준비할 수 있도록 설계되었습니다. 필요에 따라 더 구체적인 정보나 업종에 맞추어 조정할 수 있습니다.

제2부 시장 및 수요 분석

TAM 분석

4.1 TAM의 개념과 중요성

TAM은 Total Addressable Market의 약자로, 기업이 제품이나 서비스를 통해 획득할 수 있는 잠재 시장의 최대 규모를 의미합니다. 즉, 현재 및 미래의 고객이 될 수 있는 모든 잠재 고객군의 총체적 규모라고 할 수 있죠. TAM 분석은 이런 전체 잠재 시장의 크기를 추정하는 과정입니다.

창업을 준비하는 단계에서 TAM 분석은 매우 중요한 의미를 갖습니다. 먼저 사업 기회를 객관적으로 평가할 수 있는 기준이 됩니다. 아무리 혁신적인 아이디어라도 대상 시장 자체가 작다면 사업성이 떨어질 수밖에 없겠죠. 반면 큰 TAM이 예측된다면 성장 잠재력이 높은 사업 기회로 판단할 수 있습니다.

또한 TAM 분석은 구체적인 사업 전략을 수립하는 데도 필수적입니다. 전체 시장 규모 안에서 자사가 타깃으로 할 세부 시장을 선정하고, 이를 바탕으로 마케팅과 영업 전략을 세울 수 있기 때문입니다. 더 나아가 투자 유치 과정에서도 TAM 분석 결과는 사업 성장성을 입증하는 핵심 근거가 됩니다. 시장 규모와 성장 속도, 자사의 예상 점유율 등을 논리적으로 제시한다면 투자자들을 설득하는 데 큰 도움이 될 것입니다.

4.2 TAM 분석 방법

TAM 분석에는 크게 하향식(Top-down)과 상향식(Bottom-up) 접근 방식이 활용됩니다. 하향식 방법은 거시적인 시장 데이터에서 출발합니다. 예를 들어 전체 식품 시장에서 간편식 시장, 그 중에서도 샐러드 키트 시장으로 좁혀가는 식이죠. 관련 산업 보고서, 정부 통계 자료 등을 참고하여 큰 틀에서의 시장 규모를 추정하는 것이 하향식 방법의 특징입니다.

반면 상향식 방법은 개별 소비자나 잠재 고객사의 구매 행태에 초점을 맞춥니다. 1인당 연간 구매량과 지불 가능 가격, 구매 빈도 등을 추정한 뒤 이를 전체 잠재 고객풀(pool)에 대입하여 TAM을 산출하는 방식입니다. 설문조사나 인터뷰 등 실증적인 1차 데이터에 기반한다는 점이 특징입니다. 예를 들어 반려동물 사료 시장의 경우, 반려인 1000명을 대상으로 사료 구매 행태를 조사한 뒤 이를 전체 반려인 규모에 적용하여 TAM을 추산할 수 있는 거죠.

어떤 접근 방법이 더 적합할지는 창업 아이템의 특성에 따라 달라집니다. 새로운 상품 카테고리를 만드는 혁신적인 아이디어라면 하향식 접근이 적절할 수 있습니다. 거시 데이터로 대략의 시장 규모를 가늠한 뒤, 유사 제품 시장의 과거 성장 패턴을 참고하여 중장기 TAM을 전망하는 식입니다. 반면 기존 시장에 새로운 기술이나 차별화 요소를 적용하는 경우에는 실제 소비자들의 반응을 살피는 상향식 접근이 더 유용할 것입니다.

두 가지 방법을 함께 활용하는 것도 좋은 방법입니다. 하향식 방법으로 전체 틀을 그려보고, 구체적인 타깃 시장에 대해서는 상향식 분석을 병행하는 식이죠. 시장 규모에 대한 다각적인 검증이 가능하고, 거시적/미시적 차원의 인사이트를 종합할 수 있습니다. 무엇보다 TAM 분석 자체가 불확실성이 높은 미래 예측 작업인 만큼, 다양한 각도에서 시장 규모에 접근하는 것이 중요합니다.

4.3 TAM 산정 시 고려 요소

TAM을 분석할 때 어떤 범위까지를 전체 시장으로 볼 것인지 명확히 규정하는 것이 중요합니다. 창업 아이템이 속한 상품 카테고리를 기준으로 삼되, 고객 니즈 관점에서 인접 카테고리까지 시장 범위에 포함할 수 있습니다. 가령 전기자전거라면 전기차 시장뿐 아니라 전체 개인교통수단 시장을 TAM 산정 대상으로 검토해볼 수 있는 거죠. 또한 국내 시장과 해외 시장을 구분하여 각각의 TAM을 분석하고, 필요할 경우 특정 국가나 지역으로 세분화하는 것도 방법입니다.

TAM의 현재 규모뿐 아니라 미래 성장 가능성을 예측하는 것도 중요합니다. 과거 추이를 토대로 향후 수년간 TAM이 어떻게 변화할지 전망해 보는 거죠. 가령 고령화에 따른 실버 시장의 급성장, 비건 인구 증가에 따른 대체육류 시장의 확대 등이 그 예가 될 수 있습니다. 이 과정에서 각종 트렌드 리포트나 전문가 인터뷰 등을 활용할 수 있습니다.

한편 시장 환경 변화도 주의 깊게 살펴야 합니다. 특히 규제 변화는 시장 성장성에 결정적 영향을 끼칠 수 있는 만큼 면밀한 검토가 필요합니다. 온라인 의료 진료, 공유 모빌리티 등 신산업 분야는 규제 변화에 따라 TAM의 규모가 크게 달라질 수 있습니다. 반대로 환경 규제 강화로 인해 관련 시장이 위축되는 경우도 있겠죠. 중장기적 관점에서 규제 변화를 전망하고 이를 TAM 추정에 반영할 필요가 있습니다.

경쟁 상황의 변화 역시 주요 고려 요소입니다. 신규 경쟁자의 시장 진입이 활발한 업종이라면, 기존 기업들의 시장점유율 방어를 위한 마케팅 확대로 전체 시장 파이가 커질 수 있습니다. 반대로 가격 경쟁 심화로 인해 수익성이 악화되고 업체들이 시장에서 이탈하면서 TAM이 정체 내지 축소되는 경우도 있죠. 대기업의 시장 진출 가능성, 유사 업종과의 융합 트렌드 등도 TAM의 변화를 야기할 수 있는 요인입니다.

4.4 TAM 분석의 한계와 유의점

TAM 분석은 사업 기회를 평가하는 데 있어 필수적이지만, 동시에 한계도 명확히 인지할 필요가 있습니다. 우선 하향식 접근법의 경우 거시적인 수치에 기반하기 때문에 실제 구매로 이어지는 비율을 정확히 예측하기 어려울 수 있습니다. 가령 건강기능식품 시장의 규모가 크다고 해서 모든 소비자가 관심을 보이는 것은 아니겠죠. 구매 가능성이 높은 타깃에 대한 구체적 분석이 뒷받침되어야 합니다.

또한 시장 규모를 지나치게 낙관적으로 추정하는 것도 경계해야 합니다. 시장 성장세에 대한 장밋빛 전망은 돌발 변수에 의해 빗나갈 수 있기 때문입니다. 실제로 많은 스타트업들이 낙관적인 TAM 추정으로 인해 고전을 면치 못하곤 합니다. 보수적인 관점에서 TAM의 변화를 예측하고, 항상 최선/최악의 시나리오를 모두 고려할 필요가 있습니다.

무엇보다 TAM 분석이 실제 고객의 니즈와 연계되어야 합니다. 아무리 큰 잠재 시장이 있다고 해도, 자사의 상품이 고객의 니즈를 제대로 충족시키지 못한다면 의미가 없습니다. TAM 분석 결과를 제품/서비스 개발에 반영하고, 실제 고객 피드백을 지속 수렴하여 타깃 시장에 대한 이해를 높여가는 노력이 필요합니다.

그런 점에서 창업자 입장에서는 TAM 분석을 일회성 작업으로 여기기보다는 사업 전 과정에 걸친 지속적인 노력으로 인식해야 합니다. 시장 환경 변화, 경쟁 상황, 소비자 트렌드 등을 주시하면서 TAM에 대한 가정을 끊임없이 업데이트해 나가야 하는 것이죠.

4.5 국내외 TAM 분석 사례

TAM 분석은 유망 산업 분야에서 특히 중요하게 다뤄집니다. 전기차 산업이 대표적입니다. 각국 정부의 친환경 정책, 배터리 기술 발전, 소비자들의 환경 의식 변화 등을 바탕으로 글로벌 전기차 시장의 급성장이 예측되고 있습니다. 시장조사기관들은 2030년 전기차 시장 규모를 현재 대비 5~10배 수준으로 전망하곤 합니다. 이런 거시적 전망을 토대로 각 기업은 자사의 기술력과 생산 능력, 목표 시장 점유율 등을 고려하여 장기 사업 계획을 수립하게 됩니다.

또 다른 사례로 인공지능(AI) 산업을 들 수 있습니다. 기계학습, 딥러닝 등 AI 기술이 다양한 분야에 접목되면서 AI 기반 제품/서비스 시장이 급성장하고 있는데요. 시장조사기관들은 AI 시장의 연평균 성장률(CAGR)을 20~40% 수준으로 추정하고 있습니다. 음성인식 AI, 의료진단 AI, 자율주행 AI 등 세부 분야별로 TAM이 분석되고, 기업들은 이를 바탕으로 특화된 기술 개발과 사업화에 나서고 있죠.

스타트업의 사례를 보면, 미국 식물성 대체육류 기업 비욘드미트의 경우를 들 수 있습니다. 비건 인구 증가, 지속가능성에 대한 관심 확대 등을 바탕으로 급성장하고 있는 대체육류 시장을 겨냥한 것인데요. 비욘드미트는 글로벌 육류 시장 규모를 약 1조4천억 달러로 추정하고, 장기적으로 이 중 상당 부분을 대체육류가 차지할 것으로 전망했습니다. 나아가 경쟁사 대비 차별화된 기술력을 바탕으로 시장 선도 지위를 확보한다는 전략을 세웠죠. 실제로 2019년 기업공개(IPO) 당시 비욘드미트는 향후 15년간 매출 목표를 350억 달러 이상으로 제시하며 투자자들의 관심을 끌어모았습니다.

국내 사례로는 의료 AI 스타트업 뷰노의 사례가 눈에 띕니다. 뷰노는 안저사진 판독, 유방암 진단 등에 AI 기술을 접목한 솔루션을 개발하고 있는데요. 뷰노는 글로벌 의료 AI 시장이 2025년 400억 달러 이상으로 성장할 것으로 전망하고, 정밀의료 분야를 중심으로 TAM을 분석했습니다. 나아가 국내뿐 아니라 미국, 중국 등 해외 시장 진출을 통해 사업 확장을 모색 중입니다. 2021년 기준 뷰노의 기업가치는 이미 1조 원을 넘어섰는데, 이는 의료 AI 시장에 대한 장기 성장성을 투자자들이 높게 평가한 결과로 볼 수 있습니다.

4.6 요약 및 시사점

지금까지 TAM 분석의 중요성과 방법론, 고려 요소와 유의점, 국내외 사례 등을 살펴봤습니다. 정리하자면 TAM 분석은 사업 구상 단계에서 필수적으로 수행해야 할 과제입니다. 거시적인 하향식 접근과 미시적인 상향식 접근을 적절히 조합하여 시장 규모를 객관적으로 파악하고, 장기적인 변화 양상을 전망할 수 있어야 합니다. 규제 환경, 경쟁 상황 등 주요 변수의 영향도 빠짐없이 고려해야 하고요.

무엇보다 TAM 분석을 창업 전 단계에서 일회성 작업으로 끝내서는 안 됩니다. 사업 전략 수립, 제품/서비스 개발, 마케팅, 투자 유치 등 창업의 전 과정에서 TAM 분석 결과를 지속 활용하는 것이 중요합니다. 또한 시장 환경 변화를 예의주시하면서 TAM 전망치를 주기적으로 업데이트하는 일도 게을리해선 안 되겠죠.

아이디어만 좋다고 해서 반드시 사업이 성공하는 것은 아닙니다. 그 아이디어를 필요로 하는 충분한 고객이 존재해야 하고, 장기적인 성장이 뒷받침되어야 합니다. 그런 의미에서 TAM 분석은 창업자가 '큰 그림'을 그려볼 수 있게 해줍니다. 기술 중심, 공급자 중심의 사고에서 벗어나 시장과 고객 관점에서 사업 기회를 바라볼 수 있는 계기가 되는 것이죠.

물론 TAM 분석에만 의존해선 안 됩니다. 아무리 큰 잠재 시장이 있어도 그중 일부만 자사가 대상으로 삼을 수 있습니다. 그래서 다음 단계에서는 TAM 중 자사가 타깃으로 할 시장을 구체화하는 작업, 즉 SAM과 SOM 분석이 필요합니다. 그러나 그 기초가 되는 것은 역시 TAM 분석이라 할 수 있겠죠.

창업 과정에서 우리는 수많은 의사결정의 기로에 서게 됩니다. 어떤 사업을 할지, 누구를 대상으로 할지, 어떤 전략을 세울지 등등. 이때 TAM 분석이 나침반 역할을 해 줄 수 있습니다. 물론 그 나침반이 정확한 방향을 가리키려면 체계적이고 객관적인 분석 작업이 선행되어야 할 것입니다. 앞서 언급한 분석 방법론과 고려 요소들을 참고하여, 창업 아이템의 시장 성장성을 냉정하게 따져보시기 바랍니다. TAM 분석을 통해 'Think Big'할 수 있는 안목을 갖춘다면 성공적인 사업 구상이 한 걸음 더 다가올 것입니다.

OPEN AI 더보기

TAM, 즉 Total Available Market 분석은 사업의 잠재적 시장 규모를 평가하는 중요한 단계입니다. 이를 통해 창업자는 제품이나 서비스가 진입할 수 있는 전체 시장을 파악하고, 해당 시장에서 가능한 최대 수익을 추정할 수 있습니다. TAM 분석을 지원하기 위한 몇 가지 유용한 프롬프트를 알려드립니다.

1. 시장 규모 파악:

- "전세계 [제품/서비스명]의 현재 시장 규모는 어떻게 되나요?"

- "〔지역명〕에서 〔제품/서비스명〕의 총 사용 가능 시장은 얼마인가요?"

2. 인구 통계 및 타겟 고객 분석:

- "〔제품/서비스명〕의 주요 타겟 고객은 누구이며, 이들의 인구 통계적 특성은 무엇인가요?"

- "내 〔제품/서비스명〕이 서비스할 수 있는 〔지역명〕의 총 잠재 고객 수는 얼마인가요?"

3. 시장 성장 추정:

- "다음 5년 동안 〔제품/서비스명〕의 시장 규모가 어떻게 변할 것으로 예상하나요?"

- "〔업종명〕의 연평균 성장률(CAGR)은 현재 어떻게 되나요?"

4. 경쟁 분석:

- "〔제품/서비스명〕 시장에서의 주요 경쟁자는 누구이며, 그들의 시장 점유율은 얼마나 되나요?"

- "내 〔제품/서비스명〕과 유사한 제품을 제공하는 다른 기업들의 성공 요인은 무

엇인가요?"

5. 시장 진입 장벽:

- "〔제품/서비스명〕 시장에 진입하는 데 있어 주요 장벽은 무엇인가요?"

- "소상공인이 〔업종명〕 시장에 진입할 때 고려해야 할 주요 규제는 무엇인가요?"

이러한 프롬프트들은 창업자가 시장의 전체 규모와 성장 가능성을 파악하고, 경쟁 환경과 진입 장벽을 이해하는 데 도움을 줄 수 있습니다. 각 질문은 사업 아이디어와 관련된 구체적인 상황에 맞추어 조정할 수 있습니다.

SAM 분석

5.1 SAM의 개념과 의의

SAM은 Serviceable Available Market의 약자로, TAM(Total Addressable Market) 중에서 자사가 실제로 제품이나 서비스를 제공할 수 있는 시장을 의미합니다. TAM이 해당 산업의 전체 시장 규모를 포괄적으로 파악하는 개념이라면, SAM은 사업 모델, 제품 특성, 목표 고객 등 보다 구체적인 요소를 고려하여 정의된 시장이라고 할 수 있죠.

쉽게 말해 SAM은 기업이 '승부를 걸어볼 만한' 시장 영역입니다. 전체 잠재 시장에서 자사가 경쟁력을 발휘할 수 있는 영역을 좁혀나가는 과정이 바로 SAM 분석이죠. 이를 통해 기업은 실질적인 사업 기회를 냉정하게 평가하고, 효과적인 마케팅과 영업 전략을 수립할 수 있습니다.

SAM 분석이 중요한 이유는 무엇일까요? 우선 제한된 자원을 효율적으로 투입하기 위해서입니다. 아무리 큰 잠재력이 있는 시장이라도 자사의 제품력, 브랜드 인지도, 유통망 등을 감안할 때 단기간 내 진입이 어려운 영역이 있기 마련입니다. SAM 분석을 통해 현실적으로 승산이 있는 세부 시장을 설정함으로써 효율적인 자원 배분이 가능해지는 것이죠.

또한 SAM 분석은 사업 타당성을 판단하는 객관적 잣대가 됩니다. 막연히 큰 시장을 상상하는 것과 달리, 구체적인 수치로 사업 기회를 가늠해볼 수 있기 때문입니다. 특히 투자자들을 설득하는 과정에서 SAM 분석 결과는 매우 유용합니다. 시장의 매력도, 성장 가능성, 수익성 등을 입증하는 강력한 근거가 될 수 있기 때문이죠.

5.2 SAM 분석 프로세스

그렇다면 SAM 분석은 어떤 과정을 통해 이루어질까요? 크게 타겟 시장 선정, 시장 규모 추정, 구매 가능성 평가의 3단계로 나눠볼 수 있습니다.

5.2.1 타겟 시장 선정

먼저 전체 시장(TAM) 내에서 자사가 집중할 만한 세부 시장을 선정하는 과정이 필요합니다. 앞서 언급한 사업 모델, 제품 특성, 자사 역량 등을 고려하여 TAM을 다각도로 세분화해보는 것이죠.

예를 들어 모바일 게임 시장을 TAM으로 삼는다면, 캐주얼 게임/중코어 게임, 안드로이드/iOS, 국내/해외 시장 등으로 구분해볼 수 있겠죠. 만약 자사가 중코어 게임에 강점이 있고, 안드로이드 플랫폼에 최적화된 게임 개발 역량을 갖추고 있다면 '국내 안드로이드 중코어 게임 시장'을 집중 공략 대상으로 정할 수 있습니다.

이처럼 타겟 시장을 명확히 하는 것은 향후 제품 개발, 마케팅, 영업 등 사업 운영 전반에 방향성을 부여합니다. 동시에 불필요한 낭비를 줄이고 한정된 자원을 집중하는 데도 도움이 되죠.

5.2.2 시장 규모 추정

타깃 시장이 설정되었다면 그 규모를 정량적으로 추정해보는 작업이 필요합니다. 시장의 현재 규모뿐 아니라 향후 성장성까지 종합적으로 파악해야 하는데요. 이를 위해 앞서 TAM 분석에서 활용했던 하향식/상향식 방법론이 다시 한번 유용하게 쓰입니다.

모바일 게임 시장 사례로 돌아가 보겠습니다. 하향식 접근을 통해 전체 국내 모바일 게임 시장 규모를 파악했다면, 여기에 중코어 게임의 비중, 안드로이드 플랫폼 비중 등을 곱해나가며 세부 시장의 규모를 추정할 수 있습니다. 공신력 있는 시장조사 기관의 보고서, 관련 업계 동향 자료 등을 활용하면 객관성을 높일 수 있겠죠.

상향식 추정도 가능합니다. 국내 안드로이드 스마트폰 보급률, 게임 이용자 비율, 게임별 평균 구매액 등의 데이터를 수집하여 잠재 시장 규모를 역산하는 방식입니다. 자사 게임과 유사한 게임들의 매출 실적을 참고하는 것도 좋은 방법이 될 수 있습니다.

이렇게 도출된 시장 규모는 사업 기회의 매력도를 가늠하는 기준이 됩니다. 일정 규모 이상의 시장이 형성되어 있어야 수익성 있는 사업이 가능할 테니까요. 나아가 단기/중장기 성장성까지 따져본다면 지속 가능한 사업 모델을 구축하는 데 큰 도움이 될 것입니다.

5.2.3 구매 가능성 평가

시장 규모를 파악했다고 해서 분석이 끝난 것은 아닙니다. 아무리 큰 시장이라도 그 안의 고객들이 실제로 우리 제품을 구매할 의사와 능력이 있어야 의미가 있으니까요. 따라서 잠재 고객들의 구매 가능성을 평가하는 작업이 필요합니다.

이를 위해서는 정성적인 고객 분석이 이뤄져야 합니다. 고객 인터뷰, 설문 조사 등을 통해 제품에 대한 잠재 고객들의 니즈, 구매 의향, 가격 민감도 등을 파악해야 하는 거죠. 가령 우리 게임에 관심을 보이는 고객들이 어떤 특성을 지녔는지, 그들이 현재 주로 이용하는 게임은 무엇인지, 신규 게임에 대한 기대 수준은 어느 정도인지 등을 면밀히 조사할 필요가 있습니다.

특히 대체재나 경쟁 제품의 존재 여부를 살펴보는 것이 중요합니다. 우리 제품만의 차별화 포인트가 분명해야 고객들의 구매 동기를 자극할 수 있기 때문이죠. 경쟁사 대비 우위에 있는 요소, 고객 가치를 극대화할 수 있는 지점 등을 파악한다면 한층 설득력 있는 SAM 분석이 가능해집니다.

이렇게 고객들의 구매 가능성을 종합적으로 검토한 뒤에는, 앞서 도출한 시장 규모를 보정하는 작업이 필요합니다. 전체 잠재 고객 중 일정 비율만이 실제 구매로 이어질 것이라는 점을 감안해야 하는 거죠. 짧게는 1~2년, 길게는 3~5년 정도의 시간 흐름을 고려하여 연도별 SAM을 제시할 수 있습니다.

5.3 SAM 분석 사례

그렇다면 실제 기업들은 SAM 분석을 어떻게 활용할까요? B2C(Business to Customer)와 B2B(Business to Business) 각각의 사례를 통해 살펴보겠습니다.

먼저 B2C 사례로 구독형 반려동물 간식 서비스를 생각해 볼 수 있습니다. 전체 펫푸드 시장이 TAM이라면, SAM은 '구독형 서비스를 선호하는, 일정 소득 수준 이상의 반려인'이라 정의할 수 있을 것입니다.

이를 위해 자사가 타깃으로 하는 지역의 전체 반려가구 비율, 평균 소득 수준, 구독 서비스 이용 현황 등을 조사할 수 있겠죠. 여기에 반려동물 간식 지출액, 구독 서비스 선호도 등도 파악한다면 보다 명확한 SAM 규모를 도출할 수 있을 것입니다.

정량적 분석과 함께 정성적 조사도 필요합니다. 잠재 고객들이 구독형 간식에 기대하는 바가 무엇인지, 어떤 요인이 구독을 결정하는 데 중요한 역할을 하는지 심층 분석이 이뤄져야 하는 거죠. 기존 구독 서비스 이용자들의 피드백, 새로운 고객층의 니즈 등을 종합하여 SAM을 보다 구체화할 수 있을 것입니다.

B2B 영역의 사례로는 기업용 클라우드 스토리지 서비스가 있습니다. 전 세계 기업용 스토리지 시장을 TAM으로 본다면, SAM은 '자사 솔루션의 주요 기능과 가격대에 부합하는 중소/중견기업'으로 한정지을 수 있겠죠.

클라우드 스토리지 도입률, 데이터 증가 추이, IT 예산 등 거시적 지표를 토대로 대략의 시장 규모를 가늠해볼 수 있을 것입니다. 아울러 경쟁사 솔루션의 시장점유율, 주요 고객사들의 계약 규모 등도 SAM 추정에 유용하게 활용될 수 있습니다.

정성적으로는 잠재 고객사들을 대상으로 한 심층 인터뷰, 전문가 자문 등을 통해 보다 세부적인 요구사항과 구매 기준을 파악할 필요가 있습니다. 산업별, 기업 규모별로 세분화된 조사를 수행한다면 한층 정교한 SAM 분석이 가능할 것입니다.

이처럼 SAM 분석은 산업과 비즈니스 모델에 따라 다양한 형태로 이뤄질 수 있습니다. 중요한 것은 거시적 분석과 미시적 분석을 적절히 조합하여, 자사가 승부수를 던질 만한 시장의 모습을 구체적으로 그려내는 것입니다. 체계적인 프로세스를 통해

SAM을 규명해 낸다면 단순히 큰 잠재력만 얘기하는 것이 아니라, 실현 가능한 성장 전략을 도출할 수 있을 것입니다.

5.4 SAM 분석 결과의 활용

SAM 분석을 통해 구체적인 목표 시장과 규모가 파악되었다면, 이를 다양한 측면에서 활용할 수 있습니다. 우선 사업 규모와 투자 계획 수립에 직접적인 도움이 됩니다. SAM을 기준으로 자사가 도달할 수 있는 매출 목표치를 설정하고, 이에 필요한 투자 규모를 산정하는 거죠. 창업 초기 어느 정도의 팀 규모로 어느 수준까지 성장할 것인지, 외부 투자는 언제 어느 정도 유치할 것인지 등을 가늠할 수 있는 좌표가 되는 셈입니다.

마케팅 측면에서도 SAM 분석 결과는 유용하게 쓰입니다. SAM 안에서 우리가 집중해야 할 고객 세그먼트가 명확해지면, 이에 맞춰 마케팅 채널과 메시지를 최적화할 수있기 때문이죠. 가장 효과적으로 타깃 고객에게 다가갈 수 있는 방법을 모색하고, 그들의 니즈를 정확히 파고드는 소구점을 개발할 수 있습니다.

SAM은 영업 활동의 방향타 역할도 합니다. 전체 잠재 고객 풀 안에서 우선순위를 정하고, 영업 자원을 전략적으로 배분하는 기준이 되는 거죠. 초기 탐색 단계의 고객부터 구매 직전 단계의 고객까지, 영업 파이프라인 관리에 일관된 기준을 제시할 수 있습니다. 나아가 SAM 규모에 연동한 영업 할당량 설정, 영업 인력 및 예산 계획 등으로도 이어질 수 있을 것입니다.

장기적으로는 기업의 성장 전략을 그리는 토대가 됩니다. 앞서 언급한 대로 SAM은 미래 매출 추정의 기반이 되기에, 기업 가치 평가에도 결정적 영향을 미치게 되죠. 투자 유치나 인수합병(M&A)을 논의할 때도 SAM을 근거로 성장 로드맵을 제시함으로써 협상력을 높일 수 있습니다. 더불어 신사업 진출이나 해외 시장 공략 같은 사업 확장 계획을 세울 때에도 관련 영역의 SAM을 참고할 수 있을 것입니다.

이처럼 SAM 분석은 사업 운영 및 전략 수립 전반에 걸쳐 실질적인 도움을 줍니다. TAM에서 한 발 더 나아가 구체적인 승부처를 설정하고, 그 안에서 최선의 성과를 거두기 위한 방안들을 모색할 수 있게 하는 것이죠. 시장의 매력도를 냉철히 평가하는 동시에, 그 안에서 기회를 포착하고 역량을 집중하는 전략적 사고가 가능해지는 셈입니다.

5.5 요약 및 결론

지금까지 SAM 분석의 개념과 의의, 구체적인 분석 프로세스와 사례, 그리고 분석 결과의 활용 방안 등에 대해 살펴보았습니다. 정리해 보면 SAM 분석은 창업 아이템의 실질적 사업 기회를 평가하고, 보다 현실적인 목표 수립을 가능하게 하는 중요한 과정입니다. TAM이라는 큰 그림에서 한 차원 더 들어가, '어디에서 승부를 볼 것인가'를 구체적으로 규명하는 작업이라 할 수 있겠죠.

SAM 분석이 유의미한 결과를 내기 위해서는 TAM과의 연계성을 잃지 않되, 분석의 촘촘함을 더해가는 것이 중요합니다. 거시적 시장 추세와 미시적 소비자 특성을 종합적으로 반영할 수 있어야 하고, 정량적 분석과 정성적 분석을 접목시켜 나가야 합니다. 이를 통해 도출된 SAM은 사업 규모, 마케팅/영업 전략, 성장 계획 등에 직접적으로 활용되며, 장기적 관점의 의사결정을 뒷받침하는 근거가 될 수 있습니다.

아울러 SAM 분석이 일회성 이벤트가 되어서는 안 된다는 점도 강조하고 싶습니다. 산업 트렌드와 경쟁 상황, 고객 니즈 등은 끊임없이 변화하기 마련이죠. 때문에 SAM 분석 결과를 주기적으로 업데이트하고, 외부 환경 변화에 맞춰 유연하게 대응해 나가는 것이 무엇보다 중요합니다. 이를 위해 시장 모니터링을 지속하는 한편, 고객 접점에서의 인사이트 축적에도 많은 공을 들여야 할 것입니다.

물론 시장 기회를 아무리 정교하게 분석한다고 해도 창업의 성패를 온전히 담보하기는 어렵습니다. 그러나 적어도 실현 불가능한 목표를 좇거나, 허황된 꿈에 사로잡혀 소중한 자원을 낭비하는 우를 범하지는 않을 수 있을 것입니다. SAM 분석을 통해 '제대로 된' 승부처를 설정하고, 그 안에서 혁신적 가치를 창출해 나간다면 분명 창업의 성공 가능성을 한층 높일 수 있으리라 믿습니다. 시장의 큰 그림과 작은 기회를 모두 놓치지 않는 통찰력, 그것이 바로 SAM 분석을 통해 창업가가 갖춰야 할 안목이 아닐까요.

마지막으로 강조하고 싶은 것은 TAM, SAM, 그리고 다음 장에서 다룰 SOM(Serviceable Obtainable Market) 분석이 선후 관계가 아닌 선순환 관계라는 점입니다. 좋은 TAM 분석이 SAM 분석을 품질을 높인다면, 체계적인 SAM 분석 역시 차별화된 시장 접근을 통해 궁극적으로는 TAM을 확장시킬 수 있습니다. SAM을 기반으로 한 단계 더 깊이 있는 사업 전략, 즉 SOM으로 이어지는 것은 말할 나위도 없겠죠. 이 선순환의 고리를 놓치지 않고 지속적으로 시장을 재해석해 나가는 역동성, 그것이 바로 창업가에게 필요한 혜안이 아닐까 싶습니다.

OPEN AI 더보기

SAM, 즉 Serviceable Available Market 분석은 사업이 실제로 서비스할 수 있는 타겟 시장의 규모를 파악하는 데 중요합니다. TAM에서 파생되는 이 수치는 특정 지역, 유통 채널, 고객 그룹에 초점을 맞춥니다. SAM 분석을 지원할 수 있는 프롬프트는 다음과 같습니다.

1. 타겟 시장 규모 측정:

- "〔제품/서비스명〕을 위한 〔지역명/특정 고객 세그먼트〕의 시장 규모는 얼마인가요?"

- "내가 서비스할 수 있는 〔업종명〕의 지역별 시장 규모는 어떻게 되나요?"

2. 고객 세그먼트 식별:

- "내 〔제품/서비스명〕의 주요 타겟 고객 세그먼트는 누구이며, 이들의 구매력은 어떻게 되나요?"

- "〔제품/서비스명〕에 대한 가장 높은 수요를 보이는 고객 그룹은 누구이며, 그들의 특성은 무엇인가요?"

3. 접근 가능한 시장 채널 평가:

- "내 〔제품/서비스명〕을 효과적으로 배포할 수 있는 유통 채널은 무엇인가요?"

- "〔지역명〕에서 〔제품/서비스명〕을 판매할 수 있는 온라인 및 오프라인 판매 채널은 어떤 것들이 있나요?"

4. 경쟁자 및 시장 점유율 분석:

- "〔지역명〕에서 〔제품/서비스명〕을 제공하는 주요 경쟁자는 누구이며, 그들의 시장 점유율은 얼마나 되나요?"

- "타겟 시장에서 내 〔제품/서비스명〕과 경쟁할 주요 기업들의 강점과 약점은 무엇인가요?"

5. 지역별 선호도 및 수요 동향:

- "〔지역명〕에서 〔제품/서비스명〕에 대한 수요 동향은 어떻게 변화하고 있나요?"

- "특정 〔제품/서비스명〕이 〔지역명〕에서 인기를 얻는 이유는 무엇인가요?"

이 프롬프트들은 창업자가 자신의 사업에 가장 적합한 시장 세그먼트를 식별하고, 그 시장의 규모 및 성장 가능성을 정확하게 평가할 수 있도록 돕습니다. 각 질문은 특정 사업 계획 및 전략에 맞게 조정 가능합니다.

경쟁사 및 SOM 분석

6.1 SOM의 개념과 중요성

SOM은 Serviceable Obtainable Market의 약자로, SAM 내에서 자사가 실제로 확보 가능한 시장 점유율을 의미합니다. 달리 표현하면 전체 시장에서 우리가 감당할 수 있는 '몫'이라고 할 수 있겠죠. TAM이 시장 기회를 가늠하는 것이라면 SOM은 그 기회를 '내 것'으로 만들 수 있는 현실적인 목표를 설정하는 과정입니다.

SOM 분석이 중요한 이유는 무엇일까요? 우선 사업 목표를 보다 구체적이고 실현 가능한 수준에서 설정할 수 있게 해줍니다. 아무리 큰 시장이 있다 하더라도 자사가 감당할 수 있는 규모를 벗어난 목표를 세운다면 오히려 좌절만 안겨줄 수 있습니다. 반면 SOM을 면밀히 분석한다면 달성 가능한 목표를 수립하고, 이를 위한 전략을 체계적으로 세울 수 있습니다.

또한 SOM 분석은 시장에서의 자사 위상을 정립하는 데에도 큰 도움이 됩니다. 경쟁사 대비 어떤 강점이 있는지, 그를 바탕으로 어떤 포지션을 차지할 것인지 등을 고민하게 만드는 계기가 되는 것이죠. 단순히 '시장이 크니까' 뛰어드는 것이 아니라,

차별화된 가치를 바탕으로 시장 내 입지를 다져가겠다는 전략적 사고를 가능케 합니다.

6.2 경쟁사 분석

SOM을 추정하기 위해서는 무엇보다 경쟁 상황에 대한 깊이 있는 이해가 선행되어야 합니다. 어떤 기업들이 경쟁자로 존재하는지, 이들의 강점과 약점은 무엇인지 등을 파악해야 자사의 기회 영역을 특정할 수 있기 때문이죠.

6.2.1 경쟁사 식별 및 유형화

경쟁사 분석의 첫 단추는 누가 경쟁자인지 식별하는 것에서부터 시작됩니다. 동일한 제품이나 서비스를 판매하는 기업이 직접적인 경쟁 관계에 있다고 볼 수 있습니다. 그러나 고객의 니즈를 만족시키는 대안이 될 수 있는 기업까지 포함한다면 사실상 간접 경쟁사도 무시할 수 없습니다. 가령 커피 전문점에게 있어 차(tea) 전문점도 넓은 의미에서의 경쟁자가 될 수 있는 것이죠.

경쟁사를 파악했다면 이들을 몇 가지 기준에 따라 유형화해 볼 필요가 있습니다. 기업 규모, 시장 내 위상, 주력 제품군 등에 따라 경쟁사를 몇 개의 그룹으로 나누는 것이죠. 이를 통해 각 유형별 경쟁사의 특성을 보다 체계적으로 분석할 수 있고, 자사가 집중해야 할 경쟁사 그룹을 특정할 수 있습니다.

아울러 잠재적 경쟁자의 존재도 주시해야 합니다. 언제든 새로운 기업이 시장에 뛰어들 수 있고, 이는 기존 경쟁 구도를 흔들어 놓을 수 있기 때문이죠. 유사 업종의 大

기업이나 스타트업 등 잠재적 시장 진입자의 움직임에도 예의주시할 필요가 있습니다.

6.2.2 경쟁사 벤치마킹

경쟁사가 식별되었다면 이들의 사업 모델과 전략을 면밀히 분석하는 작업이 필요합니다. 경쟁사의 강점과 모범 사례를 배우는 동시에, 그들의 약점을 공략할 수 있는 방안을 모색하기 위해서죠.

먼저 경쟁사 제품 및 서비스의 특성과 장단점을 살펴봐야 합니다. 주력 제품의 기능과 품질, 가격대, 차별화 포인트 등을 꼼꼼히 분석하는 것이죠. 나아가 경쟁사가 어떤 가격 전략과 유통 전략을 취하는지, 주 타깃 고객은 누구인지 등에 대해서도 관심을 기울여야 합니다.

또한 경쟁사의 브랜드 전략과 마케팅 활동에도 주목해야 합니다. 브랜드 컨셉과 아이덴티티, 주요 프로모션 활동, 광고 메시지 등을 분석하면 경쟁사가 지향하는 바를 간파할 수 있습니다. 아울러 고객들이 경쟁사 브랜드를 어떻게 인식하고 있는지 그 이미지를 알아보는 것도 중요합니다.

이 모든 분석은 자사의 방향성을 정립하는 데 있어 소중한 인사이트를 제공합니다. 경쟁사의 강점을 면밀히 분석함으로써 자사가 더 노력해야 할 부분을 파악할 수 있고, 그들의 약점을 통해서는 차별화의 실마리를 얻을 수 있습니다. 시장 내 경쟁자들의 행보를 놓치지 않는 일, 그것이 바로 SOM 확대의 핵심 열쇠가 될 것입니다.

6.2.3 경쟁사의 핵심 역량 및 약점 분석

경쟁사의 겉으로 드러난 전략뿐 아니라 그 이면의 역량과 자원에 대해서도 깊이 고민해 볼 필요가 있습니다. 기술력, 브랜드 파워, 영업력 등 경쟁사의 강점이 무엇인지 냉정히 평가하고, 그것이 시장에서 어떤 영향력을 발휘하는지 분석해야 합니다. 이는 역으로 자사가 확보해야 할 핵심 역량이 무엇인지를 깨닫게 해주는 계기가 될 것입니다.

반면 경쟁사의 약점이나 한계에 대해서도 눈여겨봐야 합니다. 재무구조의 취약성, 조직 내 갈등, 고객 만족도 하락 등 경쟁사의 문제점을 포착한다면 이를 역공의 기회로 활용할 수 있습니다. 실제로 많은 기업들이 경쟁자의 실수를 발판 삼아 시장 내 입지를 다져왔음을 상기할 필요가 있습니다.

물론 이 과정에서 자사를 객관적으로 평가하는 일도 잊어선 안 됩니다. 경쟁사 분석을 통해 파악한 강점과 기회 요인이 과연 자사에게 얼마나 유효한지, 그것을 현실화할 수 있는 역량은 어느 정도인지 냉철히 점검해 봐야 합니다. 이를 통해 경쟁 우위를 확보할 수 있는 자사만의 차별화 지점을 찾아내는 것, 그것이 SOM 확대를 위한 첫걸음이 될 것입니다.

6.3 SOM 추정을 위한 분석 프레임워크

시장과 경쟁사에 대한 이해를 바탕으로, 이제 본격적으로 SOM을 추정하는 작업에 돌입해 보겠습니다. SOM 추정을 위해서는 몇 가지 핵심 요소를 종합적으로 고려해야 하는데요. 시장 점유율 결정 요인을 면밀히 분석하고, 정량적/정성적 접근을 병행하여 실현 가능한 목표치를 도출하는 것이 핵심입니다.

6.3.1 시장 점유율 결정 요인

SOM을 추정하기 위해서는 무엇보다 시장 내 점유율을 좌우하는 요인이 무엇인지 파악해야 합니다. 가장 중요한 건 아무래도 제품 및 서비스의 경쟁력일 것입니다. 품질, 기능, 가격 등 여러 측면에서 차별화된 가치를 제공할 수 있어야 고객의 선택을 받을 수 있기 때문이죠.

제품 경쟁력과 함께 주목해야 할 부분은 가격 경쟁력입니다. 동등한 효용을 더 저렴한 가격에 제공할 수 있다면 그만큼 SOM 확대에 유리할 것입니다. 원가 우위를 바탕으로 한 공격적 가격 전략, 혹은 프리미엄 가치에 걸맞은 가격 설계 등 경쟁사 대비 어떤 가격 포지셔닝을 취할 것인지가 관건이 되겠죠.

한편 기술이나 가격 외에도 마케팅과 브랜딩 역량이 중요한 변수로 작용합니다. 아무리 좋은 제품이라도 고객에게 잘 알려지지 않으면 의미가 없겠죠. 창의적이고 효과적인 마케팅 활동을 통해 브랜드 인지도를 높이고, 긍정적 이미지를 구축해 나가는 일이 점유율 확보에 큰 도움이 될 것입니다.

또한 영업 역량도 빼놓을 수 없는 요소입니다. 고객사나 유통망을 대상으로 한 영업 활동이 얼마나 치밀하고 설득력 있게 이뤄지느냐에 따라 실제 판매로 연결되는 비율이 크게 달라지기 때문입니다. 제품력과 브랜드력을 기반으로 영업에서의 경쟁우위를 확보하는 것, 그것이 시장 선도 기업이 되기 위한 필수 조건이 아닐까 싶습니다.

이 밖에도 생산 능력, 유통망 장악력 등 기업 내부 역량과 자원이 SOM에 영향을 미치는 요인이 될 수 있습니다. 중요한 건 자사가 처한 상황을 고려하여 점유율 확대를 위한 핵심 동인을 특정하고, 불리한 요소는 어떻게 극복할 것인지 전략을 수립하는 일일 것입니다. 이를 위해 앞서 언급한 경쟁사 분석 결과를 십분 활용할 필요가 있습니다.

6.3.2 정량적 분석 방법

SOM을 정량적으로 분석하는 방법으로는 먼저 해당 업계의 평균 점유율이나 선도 기업 점유율을 참고할 수 있습니다. 물론 이는 어디까지나 벤치마크일 뿐이지만, 시장의 대략적인 경쟁 상황을 파악하는 데는 도움이 됩니다.

보다 구체적인 분석을 위해서는 자사 제품 및 서비스의 경쟁력을 정량 지표로 평가하는 작업이 필요합니다. 성능, 원가, 품질 등 각 항목별로 경쟁사 대비 수준을 수치화하고, 이들 지표를 종합하여 대략의 시장 점유율을 추정해 볼 수 있습니다. 고객 만족도나 브랜드 선호도 같은 지표도 SOM 추정에 활용 가능할 것입니다.

정량 분석 시 고려해야 할 또 한 가지 요소는 자사의 공급 능력입니다. 아무리 잠재력이 높은 시장이라도 생산 캐파나 유통망이 뒷받침되지 않으면 높은 점유율을 기대하긴 어려울 것입니다. 따라서 초기 투자 규모, 생산 시설 확장 계획 등을 감안하여 실현 가능한 점유율 수준을 가늠해 볼 필요가 있습니다.

6.3.3 정성적 분석 방법

SOM 추정에는 위에서 본 것처럼 정량적 방법도 유용하지만, 정성적 분석 역시 간과할 수 없습니다. 숫자로 환원되지 않는 시장의 복잡성과 역동성을 제대로 파악하기 위해서는 다각도로 관련 인사이트를 얻는 과정이 필요하기 때문입니다.

이를 위해 가장 먼저 업계 전문가들의 의견을 청취할 필요가 있습니다. 해당 분야에서 오랜 경험을 쌓아온 전문가들은 시장의 특성과 트렌드, 경쟁 구도 변화 등에 대해 누구보다 통찰력 있는 의견을 제시할 수 있습니다. 또한 유통망 관계자들로부터도 값진 정보를 얻을 수 있습니다. 실제 영업 현장에서 경쟁사들의 전략과 고객 반응을 모니터링하고 있는 이들의 조언은 SOM 전망에 큰 도움이 될 수 있습니다.

정성적 분석에서 빼놓을 수 없는 것이 잠재 고객과의 소통입니다. 고객들이 자사 및 경쟁사 제품을 어떻게 인식하고 있는지, 어떤 요소를 구매 결정에 중요하게 여기는지 등을 파악할 수 있어야 합니다. 이를 위해 심층 인터뷰, 포커스 그룹 인터뷰(FGI) 등의 리서치 기법을 활용해 볼 수 있겠죠. 주기적으로 고객 데이터를 수집, 분석하는 것도 큰 도움이 될 것입니다.

또 하나 주목해야 할 부분은 자사 브랜드의 포지셔닝입니다. 단순히 제품의 물리적 속성 외에도 브랜드가 전달하는 가치와 이미지, 고객과의 정서적 유대 등이 SOM에 미치는 영향이 적지 않기 때문입니다. 따라서 자사 브랜드에 대한 고객들의 인식을 면밀히 조사하고, 차별화된 브랜드 자산을 구축하기 위한 전략적 방안을 고민해야 할 것입니다.

이상의 정량적, 정성적 분석 결과를 종합하면 비로소 SOM에 대한 현실적인 목표치 설정이 가능해집니다. 물론 100% 정확한 예측은 불가능하겠지만, 나름의 과학적이고 논리적인 접근을 통해 합리적인 추정치를 도출할 수 있을 것입니다. 이는 사업 계획 수립에 있어 든든한 토대가 될 것이며, 무엇보다 시장 환경 변화에 맞춰 유연하게 전략을 조정해 나갈 수 있는 준거점이 되어줄 것입니다.

6.4 SOM 분석 사례

지금까지 SOM 분석을 위한 기본적인 접근법에 대해 살펴보았는데요. 이해를 돕기 위해 몇 가지 실제 사례를 통해 SOM 분석이 어떻게 활용되는지 알아보겠습니다.

첫 번째 사례는 시장에 새롭게 진입하는 기업의 SOM 분석입니다. 가령 국내 스마트폰 시장에 도전장을 내민 신생 브랜드를 생각해 볼 수 있겠네요. 압도적인 점유율을 차지하고 있는 선발 주자들이 있는 상황에서, 후발 주자로서 어떤 전략으로 초기 점유율을 확보해 나갈 수 있을까요?

우선 스마트폰 소비자들의 니즈와 불만 사항 등을 꼼꼼히 분석해 보는 것에서 출발할 수 있을 것 같습니다. 가령 기존 제품들의 높은 가격이 부담스럽다는 의견, 혹은 배터리 성능 등 특정 기능에 대한 개선 요구 같은 것들 말이죠. 이런 고객 인사이트에 기반해 자사만의 차별화 포인트를 설정하고, 가성비를 앞세운 공격적인 가격 정책과 판촉 전략 등을 구사한다면 단기간에 일정 수준의 점유율을 확보하는 것이 가능할 것입니다.

두 번째는 기존 시장 내에서 보다 높은 점유율을 노리는 기업의 SOM 분석 사례입니다. 오랜 기간 경쟁해 온 라이벌들 사이에서 돌파구를 마련하기란 여간 어려운 일이 아닐 것입니다. 하지만 세밀한 SOM 분석을 토대로 전략적 실마리를 찾아낼 수 있습니다.

예를 들어 장기간 시장 점유율이 정체되어 있는 생수 브랜드의 경우를 생각해 볼까요? 우선 20~30대 여성 등 핵심 고객층을 대상으로 심층 분석을 수행할 수 있을 것입니다. 이들의 라이프 스타일, 건강에 대한 관심사, 음용 상황별 니즈 등을 파악하고, 그에 맞는 신제품 개발 및 타깃 마케팅을 전개하는 거죠. 아울러 유통망 내 취급 점포 수나 진열 위치 등 유통 전략을 점검하고, 매장 내 판촉 활동을 강화하는 것도 좋은 방법이 될 것입니다. 이처럼 SOM 확대를 위한 전사적 노력을 기울인다면 점진적으로 시장점유율을 높여갈 수 있을 것입니다.

세 번째 사례는 SOM 개념을 틈새시장 공략에 적용하는 경우입니다. 거대 기업들이 장악하고 있는 레드오션에서 승부수를 던지기보다는, 아직 뚜렷한 강자가 없는 신규 시장을 선점하는 것도 유력한 전략이 될 수 있기 때문이죠.

친환경 육류 대체식품 시장 등이 대표적 사례가 될 수 있을 것 같네요. 아직 초기 단계인 만큼 시장 규모 자체는 크지 않을 수 있습니다. 그러나 높은 성장 잠재력과 함께 소수의 선도 기업이 시장을 주도하고 있는 상황이라면, 적극적인 공략을 통해 상당한 점유율 확보가 가능할 것입니다. 제품 차별화, 선제적 마케팅, 유통망 선점 등 발 빠른 대응이 무엇보다 중요하겠죠. 물론 이는 철저한 SOM 분석을 전제로 한 과감한 의사결정이 뒷받침되어야만 가능할 것입니다.

6.5 SOM 분석 결과의 활용

지금까지 SOM의 개념과 분석 방법, 실제 사례 등에 대해 살펴보았는데요. 그렇다면 이렇게 분석된 SOM은 구체적으로 어떻게 활용될 수 있을까요? 무엇보다 사업계획 수립 과정 전반에 걸쳐 유용하게 쓰일 수 있을 것 같습니다.

가장 먼저 매출 및 수익 목표 설정에 기준을 제시할 수 있습니다. SOM을 근거로 시장 내 목표 점유율을 정하고, 그에 따른 연간 매출액을 추정하는 것이죠. 이는 사업 타당성을 판단하고 투자 규모를 가늠하는 기본 전제가 될 수 있습니다. 아울러 수익성 분석을 통해 손익분기점(BEP) 달성 가능성도 가늠해볼 수 있을 것입니다. SOM 분석을 통해 보다 현실적이고 구체적인 재무 목표 설정이 가능해지는 셈이죠.

SOM 분석의 또 다른 활용 영역은 생산 및 영업 계획 수립입니다. 목표로 하는 시장 점유율을 달성하기 위해서는 그에 걸맞은 공급 능력 확보가 필수적일 테니까요. 공장 증설, 설비 투자, 외주 생산 등 생산 전략의 큰 틀을 그리는 데 있어 SOM은 주요 고려 요인이 될 것입니다. 또한 영업 인력 확충, 유통망 확대 등 영업 전략 수립에도 SOM을 적극 반영할 수 있을 것입니다.

나아가 제품 및 서비스 차별화 전략과 브랜드 포지셔닝 등 마케팅적 의사결정에도 SOM 분석 결과가 활용될 수 있습니다. 목표로 하는 점유율을 달성하기 위해 우리 제품은 어떤 차별적 가치를 제공해야 할지, 그러한 가치를 고객에게 어떻게 전달할 것인지 등을 고민하는 데 있어 SOM은 명확한 방향성을 제시해 줄 수 있죠.

SOM은 사업의 목표이자 잣대가 됩니다. 시장에서 우리의 위치를 정하고, 그곳에 도달하기 위한 전략적 방안들을 모색하는 일련의 과정이 바로 SOM을 둘러싼 사업 운영의 핵심이라 할 수 있습니다. 따라서 SOM을 단순히 숫자 놀음으로 그치게 해서는 안 되겠죠. 시시각각 변화하는 시장 환경 속에서 지속적으로 SOM을 점검하고 조정해 나가는 역동성이야말로 기업 경쟁력의 근간이 될 것입니다.

6.6 요약 및 시사점

지금까지 경쟁사 분석과 SOM 추정을 위한 다양한 방법론과 사례에 대해 알아보았습니다. 이 모든 과정은 결국 '시장에서 어떻게 살아남고 성장할 것인가'라는 핵심 질문에 대한 해답을 모색하는 여정이었다고 할 수 있겠네요.

우리는 SOM 분석을 통해 몇 가지 중요한 인사이트를 얻을 수 있었습니다. 무엇보다 시장 세분화의 최종 단계로서 SOM이 지닌 중요성을 재확인할 수 있었죠. SOM이야말로 시장에 대한 추상적 이해를 넘어 실질적인 사업 기회를 가늠하는 잣대이자,

구체적인 실행 전략으로 옮겨가는 가교라 할 수 있습니다.

또한 SOM 추정을 위해서는 다각도의 분석과 종합적 사고가 필요함을 알 수 있었습니다. 경쟁사 파악에서부터 자사 역량 진단, 그리고 시장 점유율 결정 요인에 대한 깊이 있는 통찰에 이르기까지. 단순히 표면적 현상만 들여다보는 것이 아니라 그 이면의 동인을 파고드는 혜안이 요구되는 것이죠.

그리고 SOM 분석이 단회성 이벤트가 아닌 지속적 과제임을 확인했습니다. 끊임없이 변화하는 시장 환경 속에서 우리의 위치를 정립하고 경쟁 우위를 확보하기 위한 고민은 멈출수 없는 숙제이기 때문입니다. 경쟁사의 행보를 예의주시하는 한편, 고객의 니즈 변화와 시장 트렌드 등에도 민감하게 반응할 수 있어야 할 것입니다.

SOM 분석의 궁극적 목적은 현실적이고 실현 가능한 사업 목표를 세우는 데 있다고 할 수 있겠습니다. 그리고 그 목표를 달성하기 위한 구체적이고 실행력 있는 전략을 도출하는 것, 바로 그것이 SOM 분석의 진정한 활용 가치라 할 수 있겠죠. 매출과 수익성 제고, 시장 내 입지 강화 등 SOM 기반의 전략 목표는 조직 전반의 역량을 집중시키는 구심점이 될 수 있을 것입니다.

물론 이 과정이 결코 녹록치 않은 게 사실입니다. 불확실성이 상존하는 시장에서 정확한 점유율을 예측한다는 건 매우 도전적인 과제일 수밖에 없죠. 그럼에도 불구하고 SOM 분석에 심혈을 기울여야 하는 이유, 그것은 바로 이 분석 자체가 시장을 이해하고 기회를 발견하려는 우리의 전략적 사고를 자극하기 때문일 것입니다.

시장을 너무 피상적으로만 바라보지는 않았는지, 경쟁자의 존재를 과소평가하지는 않았는지, 고객을 깊이 있게 이해하려 노력했는지 등. SOM 분석의 과정은 이 모든 물음을 되돌아보게 하고, 그 물음에 대한 답을 찾아가는 연습의 장이 되어주는 셈이죠. 그 과정에서 우리는 한 걸음 더 성숙한 사업가로 성장할 수 있을 것입니다.

결국 SOM은 안주할 곳이 아닌, 지속적으로 도전하고 확장해 나가야 할 영역이 아닐까 싶습니다. 어떻게 하면 저 점유율을 뛰어넘을 수 있을까, 저 숫자를 현실로 만들기 위해 우리는 무엇을 해야 할까. 이런 열린 사고야말로 SOM 분석의 참된 의미를 깨우치게 해줄 것입니다. 그리고 앞서 언급한 대로 SOM 분석은 TAM이나 SAM 분석과 분리된 과제가 아닌, 시장을 바라보는 유기적이고 입체적인 프레임워크의 일부로 이해되어야 할 것입니다.

지금까지 함께 고민해 온 시장 세분화와 타깃팅의 과정은 어쩌면 우리 사업 전략의 시작에 불과할지 모릅니다. 그러나 이 과정에서 체득한 전략적 사고와 분석적 안목만큼은 향후 우리가 시장에 던지는 모든 질문을 풀어가는 소중한 자산이 될 것이라 확신합니다.

현재의 시장 점유율, 그 숫자에 안주할 것인가, 아니면 그 너머를 향해 담대한 도전을 이어갈 것인가. SOM이 던지는 화두는 결국 우리 스스로에 대한 질문이기도 합니다. 답은 이미 우리 안에 있지 않을까요? 시장의 마음을 읽는 혜안, 그 마음을 움직일 수 있는 혁신의 용기. 그것이 바로 SOM 분석을 넘어 시장 리더로 우뚝 설 수 있는 창업가의 덕목이 아닐까 싶습니다.

지금까지 우리는 시장을 세분화하고 TAM, SAM, SOM을 분석하는 기본적 방법론에 대해 살펴보았습니다. 이 과정은 단순히 시장조사에 그치는 것이 아니라 사업의 존재 이유와 성장 방향을 고민하는 전략적 탐구의 과정이었다고 할 수 있겠죠. 시장의 트렌드와 고객의 마음을 꿰뚫어 보는 통찰, 그 속에서 기회를 발견하고 새로운 가치를 창출하려는 열정. 이것이야말로 시장을 선도하는 기업과 브랜드의 경쟁력이 아닐까요?

우리에겐 분명 도전해 볼 만한 멋진 꿈이 있습니다. 시장을 선도하는 브랜드, 고객과 함께 성장하는 기업. 그 꿈을 향해 우리는 오늘도 한 걸음 내딛습니다. TAM, SAM, SOM. 이 시장 세분화의 키워드들을 나침반 삼아 묵묵히 전진할 때, 어느 날 문득 그

꿈에 성큼 다가서 있는 우리 자신을 발견하게 될 것입니다.

OPEN AI 더보기

SOM, 즉 Share of Market 분석은 사업이 타겟 시장 내에서 차지할 수 있는 잠재적 시장 점유율을 평가하는 데 중요합니다. 이를 통해 경쟁사 대비 자신의 위치를 파악하고, 시장 내에서의 성장 전략을 계획할 수 있습니다. SOM 분석을 지원하는데 도움이 될 수 있는 프롬프트는 다음과 같습니다.

1. 경쟁사 분석:

- "〔제품/서비스명〕을 제공하는 주요 경쟁사는 누구이며, 각각의 시장 점유율은 얼마인가요?"

- "내 〔제품/서비스명〕과 직접 경쟁하는 상위 3개 기업의 성공 전략은 무엇인가요?"

2. 자사 시장 점유율 추정:

- "〔지역명〕에서 〔제품/서비스명〕의 예상 시장 점유율은 얼마나 될까요?"

- "내 〔제품/서비스명〕이 타겟 시장에서 차지할 수 있는 점유율을 높이기 위한 전략은 무엇인가요?"

3. 시장 진입 전략:

- "새로운 〔제품/서비스명〕으로 시장에 진입할 때 고려해야 할 경쟁사 대응 전략

은 무엇인가요?”

- “〔지역명〕 시장에서 내 〔제품/서비스명〕의 독특한 판매 포인트(USP)는 무엇이며, 이것이 어떻게 시장 점유율을 확대할 수 있나요?”

4. 시장 점유율 확대 기회:

- “현재 시장에서 미충족 수요는 무엇이며, 내 〔제품/서비스명〕이 이를 어떻게 해결할 수 있나요?”

- “내 〔제품/서비스명〕이 타겟 시장에서 성공적으로 점유율을 확대할 수 있는 틈새 시장은 어디인가요?”

5. 경쟁사 제품/서비스 평가:

- “경쟁사의 〔제품/서비스명〕과 비교했을 때, 내 제품의 장점과 단점은 무엇인가요?”

- “시장 리더의 제품/서비스에서 배울 수 있는 점은 무엇이며, 이를 어떻게 내 사업 전략에 통합할 수 있나요?”

이 프롬프트들은 창업자가 자신의 사업이 시장에서 차지할 수 있는 위치를 명확히 이해하고, 경쟁사 대비 차별화된 전략을 개발하는 데 도움을 줄 것입니다. 경쟁 분석을 통해 장기적인 사업 성공을 위한 근거를 마련할 수 있습니다.

제3부 STP 전략 수립

시장 세분화 (Segmentation) 전략

7.1 시장 세분화의 개념과 필요성

시장 세분화란 시장을 하나 이상의 공통적 특성을 지닌 소비자 집단으로 나누는 과정을 의미합니다. 동일한 욕구와 구매 행동을 보이는 고객들을 하나의 세분 시장으로 묶는 것이죠. 오늘날 대부분의 시장이 다양한 고객층으로 구성되어 있음을 감안할 때, 시장 세분화는 효과적인 마케팅 전략 수립을 위한 필수 과정이라 할 수 있습니다.

시장을 세분화하는 이유는 무엇일까요? 무엇보다 그것은 표적시장을 선정하고 포지셔닝 전략을 구축하기 위한 토대를 마련해줍니다. 기업의 자원이 한정되어 있는 만큼 모든 잠재 고객을 대상으로 마케팅 활동을 펼치는 것은 비효율적일 수밖에 없습니다. 시장 세분화를 통해 자사에게 가장 매력적인 고객층을 발굴하고, 그들의 니즈에 부합하는 제품과 서비스를 개발할 때 비로소 효과적인 마케팅이 가능해지는 것이죠.

또한 세분화된 시장을 대상으로 보다 정교한 마케팅 커뮤니케이션 활동을 전개할 수 있습니다. 각 세분 시장의 특성과 선호도에 맞는 메시지와 미디어를 활용함으로써 마케팅 효율성을 높일 수 있는 것입니다. 이는 고객과의 관계 형성에도 긍정적 영향을 미칩니다. 개별 고객의 니즈를 깊이 있게 파악하고 대응할수록 고객 만족도와 충성도 제고에 유리할 테니까요.

7.2 시장 세분화의 기준

그렇다면 어떤 기준으로 시장을 세분화할 수 있을까요? 가장 일반적으로 사용되는 기준은 지리적 변수, 인구통계학적 변수, 심리적 변수, 행동적 변수 등 네 가지로 분류됩니다.

먼저 지리적 세분화는 국가, 지역, 도시 규모, 인구 밀도, 기후 등을 기준으로 시장을 나누는 것을 의미합니다. 각 지역별로 문화적 특성이나 소비 성향이 다를 수 있기에 이를 고려한 마케팅 전략 수립이 필요합니다.

두 번째로 인구통계학적 변수에는 연령, 성별, 소득 수준, 교육 정도, 직업, 결혼 여부 등이 포함됩니다. 이들 변수는 소비자의 구매력과 라이프스타일을 결정짓는 주요 요인이기에 제품/서비스 개발은 물론 커뮤니케이션 전략 수립 시에도 반드시 고려되어야 할 부분입니다.

한편 심리적 변수는 개인의 가치관, 성격, 라이프스타일 등을 토대로 소비자를 구분 짓습니다. 같은 인구통계학적 특성을 지닌 소비자라 할지라도 개인의 심리적 성향에 따라 상이한 구매 행동을 보일 수 있기 때문이죠. 따라서 AIO(Activity, Interest, Opinion), VALS(Values & Lifestyle) 등의 조사 기법을 활용해 소비자의 내면을 깊이 있게 이해하려는 노력이 필요합니다.

마지막으로 행동적 변수에는 제품 사용량, 구매 빈도, 구매 시점, 브랜드 충성도 등이 있습니다. 이는 소비자의 실제 구매 행동을 분석함으로써 향후 행동을 예측하고자 하는 것인데요. 고객 데이터베이스 구축과 빅데이터 분석 등을 통해 개별 고객의 행동 패턴을 면밀히 추적하고, 이를 바탕으로 맞춤형 마케팅 활동을 전개하는 것이 가능해집니다.

7.3 시장 세분화 프로세스

시장 세분화는 체계적인 프로세스를 통해 수행되어야 합니다. 먼저 시장 및 제품 특성에 적합한 세분화 변수를 선정하는 것에서 출발합니다. 앞서 언급한 네 가지 기준을 상황에 맞게 조합함으로써 의미 있는 세분화가 가능해지는데요. 예컨대 스마트폰 시장의 경우 연령, 소득, 라이프스타일, 혁신 수용도 등 다양한 변수를 복합적으로 고려하는 것이 유용할 것입니다.

세분화 기준이 정해지면 각 세분 시장별 프로파일을 분석하는 작업이 필요합니다. 세분 시장의 규모, 구매력, 성장성 등을 가늠해 보고, 해당 고객군의 니즈와 구매 행동 특성을 면밀히 파악하는 것이죠. 이 과정에서 기존 고객 데이터 분석과 함께 FGI, 설문조사 등 정성적 조사 방법이 활용되기도 합니다.

이렇게 파악된 세분 시장에 대해서는 매력도 평가가 이뤄져야 합니다. 단순히 규모가 크다고 해서 반드시 유리한 시장이라고 볼 수는 없겠죠. 경쟁 강도, 수익성, 성장 잠재력 등을 종합적으로 고려하여 각 세분 시장의 매력도를 평가하고 우선순위를 정하는 것이 필요합니다. 아울러 자사의 역량이나 이미지가 특정 세분 시장에 부합하는지 여부도 세분 시장 평가의 주요 기준이 될 수 있습니다.

이상의 평가 결과를 토대로 기업은 핵심적으로 공략할 표적 세분 시장을 선정하게 됩니다. 최종 선정 과정에서는 기업의 사업 목표, 가용 자원의 수준 등이 함께 고려되어야 할 것입니다. 아무리 매력적인 세분 시장이라도 자사의 역량 범위를 벗어난다면 섣불리 진입하기보다는 장기적 관점에서의 단계적 접근이 필요할 테니까요.

7.4 세분화 전략 수립 시 고려사항

시장 세분화 자체가 목적이 되어서는 안 됩니다. 세분화의 궁극적 목적은 차별화된 마케팅 전략을 수립하기 위함임을 잊지 말아야 하는데요. 이를 위해서는 선정된 세분 시장 간 뚜렷한 차이가 존재해야 합니다. 서로 다른 세분 시장이 유사한 특성을 보인다면 세분화의 실익이 없어지는 것이나 마찬가지겠죠.

반면 지나치게 세분화를 세분화할 경우 자원 분산의 우려가 있습니다. 비슷한 성격의 세분 시장을 각각 공략하는 것은 비효율적일 수 있기 때문인데요. 또한 세분 시장의 규모가 지나치게 작아질 경우 규모의 경제 실현이 어려워질 수 있다는 점도 고려해야 합니다. 이는 신생 기업이나 소규모 기업에게 특히 중요한 고려사항이 될 것입니다.

아울러 시장은 늘 변화하고 있음을 잊어서는 안 됩니다. 한때 의미 있던 세분화 기준이 시간이 지남에 따라 유효성을 잃을 수 있는 만큼, 지속적인 시장 모니터링을 통해 세분화 전략을 업데이트해 나가는 것이 중요합니다. 특히 경기 변동, 사회 구조의 변화, 새로운 트렌드의 등장 등은 세분 시장 재편으로 이어질 수 있는 바, 면밀한 주의 관찰이 필요할 것입니다.

7.5 시장 세분화 성공 사례

시장 세분화는 수많은 기업들의 성공 사례를 통해 그 유효성이 입증되어 왔습니다. 대표적으로 나이키(Nike)는 스포츠 스타일 세분 시장을 발굴함으로써 단순한 스포츠화 브랜드에서 패션 리더로 발돋움했습니다. 애플(Apple)은 IT 분야에서 디자인과 사용 편의성을 중시하는 프리미엄 세분 시장을 겨냥, 독보적 위상을 구축했죠.

한편 블루오션 전략으로 유명한 서커스 태양(Cirque du Soleil)은 기존 서커스 시장과는 전혀 다른 세분 시장을 발굴해냈습니다. 동물 학대 논란으로 침체된 서커스 시장에서 탈피, 예술성과 창의성을 갈망하는 성인 관객을 새로운 타깃으로 삼은 것이죠. 이는 세분 시장 발굴을 통해 레드오션을 블루오션으로 바꾼 혁신 사례로 평가받고 있습니다.

7.6 요약 및 시사점

지금까지 시장 세분화의 개념과 필요성, 세분화 기준과 프로세스, 성공 사례 등에 대해 살펴보았습니다. 시장 세분화는 표적 시장 선정과 포지셔닝 등 마케팅 전략 수립의 출발점이자 근간이 되는 필수 과정임을 알 수 있었는데요. STP 전략의 첫 단추로서 세분화는 기업의 차별화 방향성을 결정짓는 토대가 된다 하겠습니다.

특히 다변화되는 시장 환경 하에서 세분화의 중요성은 나날이 커지고 있습니다. 과거와 달리 개인의 선호와 라이프스타일이 다양해짐에 따라 니치(niche) 시장 발굴의 필요성도 증대되는 상황인데요. 이는 역으로 기업에게 차별화의 기회 요인으로 작용할 수 있습니다. 창의적이고 섬세한 시장 세분화를 통해 틈새시장을 선점하는 혜안, 그것이 경쟁 우위 확보의 지름길이 될 수 있음을 잊지 말아야 할 것입니다.

물론 세분 시장 간 균형을 잡는 것 역시 중요한 과제입니다. 매력적인 세분 시장에만 집중하다 보면 기존 주력 시장을 잃을 우려도 있는 만큼, 신중한 자원 배분 의사결정이 필요할 것입니다. 아울러 급변하는 시장 환경에 맞춰 지속적으로 세분화 전략을 업데이트해 나가는 민첩성도 요구됩니다.

시장과 고객에 대한 끊임없는 탐구, 그 속에서 새로운 기회를 포착하려는 통찰력. 바로 그것이 시장 세분화의 참된 가치를 이해하고 실천하는 길이 아닐까요? 세분화의 정답은 없습니다. 중요한 건 머무르지 않고 진화하려는 자세, 그 자체라는 사실을 잊지 말아야 할 것입니다.

OPEN AI 더보기

시장 세분화(Segmentation)는 고객들을 그들의 필요, 특성 또는 행동에 따라 다양한 그룹으로 나누어 효과적으로 타겟팅할 수 있도록 하는 전략입니다. 시장 세분화를 효과적으로 수행하기 위한 프롬프트는 다음과 같습니다.

1. 고객 특성 기반 세분화:

- "내 제품/서비스의 이상적인 고객은 누구인가요? 이들의 연령, 성별, 소득 수준, 교육 수준은 어떻게 되나요?"

- "어떤 고객 특성이 [제품/서비스명]의 구매 결정에 가장 큰 영향을 미치나요?"

2. 지역적/지리적 세분화:

- "〔제품/서비스명〕를 찾는 주요 지역 시장은 어디인가요? 이 지역들의 특징은 무엇인가요?"

- "특정 지역에서 〔제품/서비스명〕의 수요가 높은 이유는 무엇인가요?"

3. 행동 기반 세분화:

- "〔제품/서비스명〕의 사용 빈도는 어떻게 다르며, 어떤 유형의 고객이 가장 자주 사용하나요?"

- "고객들이 〔제품/서비스명〕를 구매하게 되는 주요 동기는 무엇인가요?"

4. 심리적/라이프스타일 세분화:

- "〔제품/서비스명〕에 대한 고객의 생활 방식, 가치관, 태도는 어떻게 다양한가요?"

- "특정 라이프스타일을 가진 고객 그룹이 〔제품/서비스명〕를 선호하는 이유는 무엇인가요?"

5. 가격 민감도 기반 세분화:

- "내 제품/서비스에 대한 가격 민감도가 높은 고객 세그먼트는 어떤 특징을 가지고 있나요?"

- "〔제품/서비스명〕의 다양한 가격대가 각 고객 세그먼트에 어떻게 호응을 얻고 있나요?"

이러한 프롬프트는 시장 내 다양한 고객 그룹을 이해하고, 각 세그먼트에 맞는 마케팅 전략과 제품 개발을 수행하는 데 도움을 줄 수 있습니다. 이를 통해 더 효과적인 타겟팅과 개인화된 고객 경험을 제공할 수 있습니다.

"고객을 위한 가치 창출이 비즈니스의 시작이자 끝이다."

피터 드러커

타겟 고객(Targeting) 선정

8.1 타깃 마케팅의 개념과 필요성

타깃 마케팅이란 세분화된 시장 중 특정 고객층을 선택하여 집중적으로 마케팅 활동을 전개하는 것을 의미합니다. 기업의 입장에서 모든 잠재 고객을 대상으로 마케팅을 펼치는 것은 비효율적일 수밖에 없는데요. 제한된 자원을 투입하여 최대 성과를 거두기 위해서는 전략적으로 타깃 고객을 선정하는 것이 필수적이라 할 수 있습니다.

타깃 마케팅은 마케팅 효율성 제고뿐 아니라 고객 니즈에 부합하는 제품/서비스 개발에도 큰 도움이 됩니다. 명확한 타깃 고객이 정의되어 있다면 그들의 기대와 요구사항을 보다 정확히 예측할 수 있기 때문이죠. 이는 고객이 진정으로 원하는 가치를 제공함으로써 장기적 관계 구축을 가능케 합니다. 백화점식 마케팅이 아닌 개개인에게 의미 있는 마케팅, 바로 그것이 타깃 마케팅이 지향하는 바라 할 수 있겠습니다.

8.2 타깃 시장 선정 기준

그렇다면 어떤 기준으로 타깃 시장을 선정해야 할까요? 크게 시장 매력도와 기업 적합성 두 가지 차원에서 접근할 수 있을 것 같습니다. 먼저 시장 매력도는 세분 시장의 규모와 성장성, 경쟁 강도, 수익성 등을 고려하여 판단하게 됩니다. 충분한 잠재력을 지닌 시장인지, 경쟁자들의 위협 정도는 어떠한지, 그리고 장기적으로 수익을 창출할 수 있을지 등을 꼼꼼히 분석해야 하는 것이죠.

다음으로 기업 적합성 측면에서의 평가도 필요합니다. 아무리 매력적인 시장이라 하더라도 자사가 보유한 역량과 자원, 브랜드 이미지 등이 부합하지 않는다면 성공하기 어려울 테니까요. 또한 해당 시장이 기업의 장기적 비전 및 목표와 얼마나 일치하는지도 중요한 고려사항이 될 것입니다. 단기적 수익에 급급하기보다는 지속 가능한 성장 관점에서 타깃 시장을 바라보는 혜안이 필요한 이유입니다.

8.3 타깃 시장 선정 프로세스

앞서 언급한 선정 기준을 바탕으로 실제 타깃 시장을 선정하는 프로세스는 다음과 같이 진행됩니다. 우선 시장 세분화를 통해 도출된 세분 시장별로 매력도와 기업 적합성을 면밀히 분석하는 것에서 출발합니다. 이를 통해 우선순위에 따라 세분 시장을 순위화하고, 핵심 공략 대상을 압축해 나가는 것이죠.

이어서 선정된 세분 시장을 대상으로 어떤 방식의 타깃팅 전략을 취할 것인지 결정합니다. 단일 세분 시장에 집중하는 것이 좋을지, 아니면 복수의 세분 시장을 동시에 공략할 것인지 자원 상황과 시장 특성을 고려하여 판단해야 합니다. 타깃 세분 시장의 범위가 구체화되면 이제 보다 상세한 고객 프로파일링 작업이 필요합니다. 인구통계적 특성은 물론 심리적, 행동적 특성까지 면밀히 분석하여 타깃 고객을 입체적으로 이해하는 것이죠. 페르소나(Persona) 기법 등을 활용하면 마치 실존 인물을 마주하는 것처럼 생생하게 핵심 고객을 그려볼 수 있을 것입니다.

이렇게 도출된 타깃 고객 인사이트를 바탕으로 최적화된 포지셔닝과 마케팅 믹스 전략을 수립하는 것이 마지막 단계라 할 수 있겠습니다. 타깃 고객의 기대와 요구에 부합하는 제품 컨셉과 가치 제안을 개발하고, 가장 효과적으로 타깃 고객에게 다가갈 수 있는 채널과 커뮤니케이션 활동들을 설계해야 할 것입니다. 적합한 제품 라인업 구성, 매력적인 가격 설계, 최적의 유통망 선정 등 모든 마케팅 요소들이 궁극적으로는 타깃 고객에 맞춰 창의적으로 조합되어야 하는 것이죠.

8.4 타깃팅 전략 유형

기업이 선택할 수 있는 타깃팅 전략은 크게 세 가지로 나눠볼 수 있습니다. 첫째는 단일 세분 시장에 집중하는 집중 타깃팅(Concentrated Targeting)입니다. 명확한 타깃 고객을 설정하고 관련 자원을 집중 투입함으로써 해당 시장 내 경쟁우위 확보를 노리는 전략이라 할 수 있겠죠. 상대적으로 규모가 작고 자원이 한정된 기업에게 적합한 접근법입니다.

둘째는 복수의 세분 시장을 동시에 공략하는 선택적 타깃팅(Selective Targeting)입니다. 집중 타깃팅과 달리 기회 요인이 있는 다양한 세분 시장에 진출하되, 각 시장의 특성에 맞게 차별화된 마케팅 활동을 전개하는 방식입니다. 세분 시장 간 시너지 창출을 통해 사업 기회를 확대해 나갈 수 있다는 게 특징이죠.

마지막으로 시장 세분화 자체를 하지 않고 전체 시장을 대상으로 하는 무차별 타깃팅(Undifferentiated Targeting)이 있습니다. 대부분의 소비자들이 공통적으로 추구하는 보편적 니즈가 존재하는 시장의 경우 유효한 전략이 될 수 있습니다. 다만 경쟁사들 역시 동일한 시장을 두고 각축을 벌일 가능성이 높아, 후발주자의 입장에선 차별화가 쉽지 않다는 점은 유의해야 할 것 같네요.

8.5 타깃 마케팅 성공 사례

타깃 마케팅의 중요성은 수많은 기업들의 성공 사례를 통해 입증되어 왔습니다. 애플(Apple)은 디자인과 사용 편의성을 중시하는 프리미엄 고객층을 겨냥한 집중 타깃팅의 대표적 사례로 꼽힙니다. 제품 혁신과 브랜드 이미지 제고에 힘입어 강력한 고객 로열티를 구축해 왔죠.

한편 코카콜라는 세대별, 라이프스타일별로 차별화된 음료 브랜드들을 출시함으로써 선택적 타깃팅의 모범 사례로 평가받습니다. 탄산음료 외에도 스포츠 음료, 주스, 차 음료 등 폭넓은 브랜드 포트폴리오를 구축하여 다양한 세분 시장 니즈에 대응하고 있는데요. 이를 통해 시장 전반에 걸친 영향력을 지속 강화하고 있습니다.

이 외에도 전문 스포츠 브랜드, 프리미엄 화장품, 건강기능식품 등 다양한 산업 분야에서 타깃 마케팅의 성공 사례들을 쉽게 찾아볼 수 있습니다. 공통적으로 치밀한 고객 분석을 기반으로 차별화된 가치를 전달하고 있다는 점, 그것이 바로 타깃 마케팅의 성패를 가르는 요인이 아닐까 싶습니다.

8.6 요약 및 시사점

지금까지 타깃 마케팅의 개념과 필요성, 선정 기준과 프로세스, 주요 전략 유형과 성공 사례 등에 대해 살펴보았습니다. STP 전략의 핵심 단계인 타깃팅은 '선택과 집중'을 통해 마케팅 효과성을 극대화하는 전략적 의사결정 과정이라 할 수 있었는데요. 시장의 매력도와 내부 역량의 적합성을 동시에 고려하여 최적의 목표 고객을 설정하고, 그들의 니즈에 부합하는 차별화된 가치를 전달하는 것, 그것이 바로 타깃 마케팅의 핵심 성공 요소라 하겠습니다.

특히 다변화되는 고객 니즈와 치열해지는 시장 경쟁 속에서 타깃팅 전략의 중요성은 나날이 커지고 있습니다. 같은 상품 카테고리 내에서도 고객 취향과 구매 패턴에 따라 세분 시장이 다양화되고 있기에 모두를 잡으려 하기보다는 명확한 우선순위에 따른 자원 배분이 요구되는 상황인 것이죠.

나아가 일회성 캠페인 차원을 넘어 장기적 고객 관계 구축 관점에서 타깃 마케팅에 접근할 필요가 있어 보입니다. 단기적 매출 촉진에 급급할 게 아니라 타깃 고객의 신뢰와 충성도를 어떻게 확보할 것인지, 그들과 지속 가능한 관계를 형성하기 위한 전략적 방안은 무엇일지 깊이 있게 고민해 봐야 할 것 같습니다.

아울러 급변하는 시장 환경 속에서 한 번 설정한 타깃 고객이 불변의 진리가 될 순 없다는 사실 또한 잊지 말아야 하겠죠. 세분 시장 간 경계가 모호해지고 새로운 트렌드가 빠르게 부상하는 상황 속에서 과거의 성공 방식에만 의존해서는 곤란할 테니까요. 끊임없이 시장과 고객을 리서치하고 타깃팅 전략을 업데이트해 나가는 민첩함, 그것이야말로 지속 성장의 필수 요건이 되지 않을까 싶습니다.

시장 기회를 포착하는 안목, 고객 니즈를 꿰뚫는 통찰력, 그리고 내외부 환경을 종합적으로 분석하는 전략적 사고. 이 모든 것이 유기적으로 결합될 때 비로소 타깃 마케팅은 빛을 발하게 될 것입니다. 시장의 중심에서, 고객과 함께 호흡하며, 자사만의 독특한 가치를 전하는 기업. 바로 그 기업이 바로 내일의 승자가 되지 않을까요?

명확한 목표 고객을 설정하고, 그들의 마음을 사로잡는 것. 쉽지 않은 과제이지만 반드시 풀어내야 할 숙제. 우리 기업이 가진 고유한 강점은 무엇이며, 그 강점을 가장 잘 전달할 수 있는 고객은 누구일까요? 이 질문에 대한 답을 끊임없이 모색하는 과정 자체가 어쩌면 타깃 마케팅의 정수일지도 모르겠습니다. 기술은 달라질지 모르지만 고객 중심, 시장 지향이라는 타깃 마케팅의 본질만큼은 영원한 가치로 남을 것입니다.

우리 기업만의 타깃팅 전략을 수립하는 길, 분명 험난할 수 있습니다. 하지만 포기하지 말아야 할 이정표이기도 합니다. 우리가 누구를 위해 존재하는지, 어떤 가치를 전하고자 하는지. 이 근본적인 질문에 답하고자 노력하는 한 타깃 마케팅의 여정은 결코 헛되지 않을 것이라 믿어 의심치 않습니다.

고객의 마음에 깃발을 꽂는 기업, 시장의 변화를 주도하는 기업. 바로 우리 모두의 목표이자 도전 과제입니다. 타깃 마케팅이라는 나침반을 따라 오늘도 시장의 한복판을 힘차게 전진합시다. 머지않아 고객과 하나 되는 그날, 기꺼이 우리 제품을 선택하는 그날을 맞이하게 될 것이라 확신합니다.

OPEN AI 더보기

타겟 고객(Targeting) 선정은 마케팅 전략에서 중요한 부분으로, 효과적인 타겟팅은 사업의 성공에 직접적인 영향을 미칩니다. 타겟 고객을 선정하고 그들에게 접근하기 위한 프롬프트는 다음과 같습니다.

1. 고객 니즈 파악.

- "내 〔제품/서비스명〕이 해결할 수 있는 고객의 주요 문제점은 무엇인가요?"

- "〔제품/서비스명〕의 잠재 고객이 현재 겪고 있는 가장 큰 불편함은 무엇인가요?"

2. 고객 세그먼트의 구체적 특성 파악.

- "내 제품/서비스를 가장 필요로 하는 고객은 누구이며, 이들의 주요 특성(연령, 성별, 직업, 소득 등)은 어떻게 되나요?"

- "타겟 고객이 〔제품/서비스명〕을 선택할 때 가장 중요하게 생각하는 요소는 무엇인가요?"

3. 구매 결정 요인 분석.

- "〔제품/서비스명〕 구매 결정에 영향을 미치는 주요 요인은 무엇인가요?"

- "내 〔제품/서비스명〕에 대한 구매를 촉진하는 가장 효과적인 마케팅 메시지는 무엇인가요?"

4. 경쟁사 고객 분석.

- "경쟁사의 제품/서비스를 이용하는 고객들은 왜 그들의 제품을 선택하나요?"

- "경쟁사 제품/서비스 사용자를 내 고객으로 전환하기 위한 전략은 무엇인가요?"

5. 고객 참여 및 로열티 구축 전략.

- "어떤 유형의 고객 참여 활동이 [제품/서비스명]에 대한 고객 충성도를 높이는데 효과적인가요?"

- "타겟 고객이 반복 구매를 하도록 장려할 수 있는 방법은 무엇인가요?"

이 프롬프트들을 활용하여 타겟 고객의 특성과 필요를 깊이 이해하고, 그에 맞는 전략을 개발하여 효과적으로 고객에게 접근하고, 마케팅과 판매 전략을 최적화할 수 있습니다. 타겟 고객 분석은 사업의 성공적인 진행을 위해 필수적인 단계입니다.

차별화 전략(Positioning)

9.1 포지셔닝의 개념과 중요성

포지셔닝이란 타깃 고객의 마음속에 자사 제품이나 서비스가 차지하게 될 위치를 설정하고 전달하는 전략적 활동을 의미합니다. 단순히 제품의 기능적 우수성을 강조하는 것이 아니라, 고객에게 특별한 가치를 제공하는 브랜드로 인식되도록 하는 것이 포지셔닝의 핵심 목표라 할 수 있습니다.

오늘날 대부분의 시장이 레드오션化되고 있는 상황에서 차별화된 포지셔닝 전략 없이는 생존하기 어려운 것이 현실입니다. 고객에게 선택받기 위해서는 무엇보다 경쟁사와 구별되는 명확한 브랜드 정체성을 확립해야 하는데, 이를 가능케 하는 것이 바로 효과적인 포지셔닝입니다. 나아가 일관되고 설득력 있는 브랜드 메시지를 전달함으로써 마케팅 커뮤니케이션 효과를 극대화할 수 있게 됩니다.

9.2 포지셔닝 결정 요소

그렇다면 어떤 요소를 바탕으로 포지셔닝 전략을 수립할 수 있을까요? 크게 다섯 가지 차원에서 접근해 볼 수 있을 것 같습니다. 먼저 제품 그 자체의 속성을 강조하는 방식이 있습니다. 품질, 성능, 가격 등 핵심 속성에서의 차별적 우위를 부각시키는 것이죠.

두 번째는 사용자 이미지를 활용한 포지셔닝입니다. 자사 제품을 사용하는 고객에 대한 호감도 높은 이미지를 형성함으로써 브랜드에 대한 긍정적 연상 효과를 창출하는 전략적 방법이라 하겠습니다.

특정 사용 상황이나 맥락을 강조하는 것도 효과적일 수 있습니다. 일상의 특별한 순간, 또는 낯선 상황에서 자사 제품만의 최적 솔루션을 제안함으로써 타 브랜드와의 차별화를 꾀할 수 있을 것입니다.

한편 경쟁사 제품과의 비교우위를 부각시키는 것도 주요한 포지셔닝 기제가 될 수 있습니다. 경쟁 제품 대비 자사만의 강점을 집중 어필하거나, 경쟁 브랜드의 약점을 역이용하는 전략 등을 고려해 볼 만 합니다.

마지막으로 기존의 제품 범주와 차별화된 영역을 개척하는 것도 포지셔닝의 한 방법이 될 수 있습니다. 블루오션을 창출함으로써 새로운 시장 기회를 선점하고, 고유한 브랜드 아이덴티티를 구축해 나가는 것이죠.

9.3 포지셔닝 전략 수립 프로세스

그렇다면 이러한 포지셔닝 결정 요소들을 바탕으로 실제 전략을 수립해 나가는 프로세스는 어떻게 될까요? 체계적이고 심도 있는 분석의 과정이 필요할 것으로 보입니다.

우선 시장 내 경쟁 구도에 대한 냉철한 분석이 선행되어야 합니다. 주요 경쟁사의 포지셔닝 전략을 면밀히 파악하고, 그들의 강점과 약점을 객관적으로 평가하는 것이죠. 이를 통해 자사가 차지할 수 있는 포지셔닝 기회 영역을 발굴해 낼 수 있을 것입니다.

다음으로 타깃 고객에 대한 심층적 이해가 뒷받침되어야 합니다. 그들이 제품을 선택하는 주요 기준은 무엇인지, 어떤 속성을 중시하는지 등을 꼼꼼히 파악해야 하는데요. 더 나아가 겉으로 표출되지 않은 잠재 니즈나 불만 사항까지 읽어내는 통찰력이 필요할 것입니다.

이러한 시장 및 고객 분석을 토대로 자사만의 강점과 차별성을 명확히 규명해야 합니다. 단순히 경쟁사와 다른 것이 아니라, 고객에게 의미 있고 설득력 있는 차별화 포인트를 발굴해 내는 것이 관건이 되겠죠.

이를 바탕으로 한 차별화된 포지셔닝 컨셉을 도출하되, 실제 고객 반응을 살피며 지속 보완해 나가는 과정이 필요합니다. 정량/정성 테스트를 병행하여 컨셉의 설득력과 차별성을 입체적으로 검증하고, 고객 피드백을 반영해 수정 및 진화시켜 나가야 할 것입니다.

마지막으로 포지셔닝 컨셉을 실행에 옮길 구체적인 마케팅 전략을 설계합니다. 제품 기획, 가격 책정, 유통 채널 운영, 브랜드 커뮤니케이션 등 전방위적 마케팅 활동 속에서 일관된 포지셔닝 메시지가 전달될 수 있도록 면밀히 조율하고 관리해야 하는 것이죠.

9.4 효과적 포지셔닝을 위한 고려사항

포지셔닝 전략이 성공하기 위해서는 몇 가지 중요한 고려사항이 있습니다. 무엇보다 타깃 고객에게 의미 있고 설득력 있는 포지셔닝 포인트를 찾아내는 것이 핵심입니다. 단순히 남들과 다른 것이 아니라, 고객의 니즈와 감성을 자극하는 차별화 메시지를 전달할 수 있어야 하는 것이죠.

아울러 일관성 있고 지속가능한 포지셔닝을 추구하는 것이 중요합니다. 단기적 성과에 급급해 포지셔닝을 쉽게 바꾸려 한다면 오히려 브랜드 정체성에 혼란을 줄 수 있기 때문입니다. 장기적 관점에서 브랜드 자산을 견고히 쌓아갈 수 있는 방향성을 견지하는 것이 필요할 것입니다.

나아가 포지셔닝 전략과 실제 제품 및 서비스 간의 정합성을 확보하는 것도 간과할 수 없는 포인트입니다. 고객에게 약속한 가치를 제품으로 구현해내지 못한다면 그 어떤 포지셔닝도 빛을 발하기 어려울 테니까요. 철저한 제품 관리를 통해 포지셔닝에 걸맞은 품질을 담보해야 할 것입니다.

아울러 경쟁사의 포지셔닝 변화나 시장 환경 변화에 지속적으로 주목해야 합니다. 한 번 확립한 포지셔닝에 안주할 것이 아니라 상황 변화에 맞춰 유연하게 전략을 조정 및 진화시켜 나가는 민첩함이 요구되는 것이죠.

9.5 포지셔닝 성공 사례

이러한 포지셔닝 전략은 수많은 브랜드의 성공 사례를 통해 입증되고 있습니다. 예컨대 오설록은 전통 차 시장에서 웰빙과 미감을 결합한 프리미엄 브랜드로 포지셔닝함으로써 새로운 차 문화 트렌드를 이끌어 가고 있습니다.

하이네켄은 'Cool Fresh'라는 독특한 사용 상황을 제안하며 프리미엄 맥주 시장에서 확고한 입지를 구축했고요. 미국의 Dollar Shave Club은 정직하고 간편한 면도 용품 공급자로서의 이미지를 내세워, 기존의 high-end 브랜드들과 차별화에 성공한 것으로 평가됩니다.

레드불은 에너지 드링크라는 새로운 제품 카테고리 자체를 창출하며, 극한의 스포츠와 모험 정신을 갈망하는 젊은 층을 사로잡았죠. 나아가 관련 스포츠 이벤트 후원, 브랜드 경험 마케팅 등을 통해 독보적 브랜드로서의 입지를 공고히 하고 있습니다.

9.6 요약 및 시사점

지금까지 포지셔닝 전략의 개념과 결정 요소, 전략 수립 프로세스, 주요 고려사항 및 성공사례 등에 대해 살펴보았습니다. 차별화된 포지셔닝 없이는 브랜드의 생존과 성장을 담보하기 어려운 것이 오늘날의 현실인 만큼, 고객 마음속에 파고드는 일관되고 설득력 있는 브랜드 약속을 고민하는 일이 그 어느 때보다 중요해졌다 하겠습니다.

포지셔닝 전략은 단순한 홍보 문구 개발이 아닌, 고객에 대한 깊이 있는 통찰에서 출발해야 합니다. 그들의 삶과 마음에 녹아들 수 있는 가치를 발굴하고, 이를 일관되게 경험할 수 있도록 세심하게 브랜드 활동을 설계 및 관리해 나가는 노력이 필요할 것입니다.

무엇보다 급변하는 시장 환경 속에서 적시적소에 맞는 포지셔닝 전략을 수립 및 실행하기 위해서는 유연하고 민첩한 조직 운영이 뒷받침되어야 할 것 같습니다. 고객의 변화를 감지하고 선제적으로 대응할 수 있는 통찰력, 새로운 포지셔닝 기회를 포착할 수 있는 창의성이야말로 조직 전반에 내재화되어야 할 핵심 역량이라 할 수 있겠죠.

포지셔닝의 비결은 바로 고객의 마음을 읽어내고 사로잡는 것에 있습니다. '왜 우리 제품을 사야 하는가', '우리는 고객에게 어떤 특별한 의미가 있는가'. 바로 이 질문에 답할 수 있을 때 비로소 브랜드는 경쟁 환경을 뛰어넘어 고객의 삶 속에 자리 잡게 될 것입니다.

포지셔닝은 단순한 전략 차원을 넘어, 기업이 추구하는 본질적 가치이자 고객에 대한 약속이라는 점을 잊지 말아야 하겠습니다. '우리는 누구이고 무엇을 지향하는가', 그 근원적 질문에서 포지셔닝의 해답을 찾아 나갈 때, 브랜드는 고객의 머릿속과 가슴속에 가장 특별한 자리를 차지하게 될 것입니다.

브랜드의 차별화 여정은 결코 순탄치 않을 것입니다. 눈앞의 유혹에 흔들릴 수도, 경쟁의 소용돌이 속에서 길을 잃을 수도 있습니다. 그럴 때마다 우리는 초심으로 돌아가 고객과의 약속을 되새겨봐야 할 것입니다. 고객의 삶에 변화를 일으키겠다는, 세상에 선한 영향력을 미치겠다는 그 간절한 염원 말이죠.

포지셔닝은 바로 그 약속을 담아내는 그릇이자, 고객과 브랜드를 이어주는 다리가 될 것입니다. 우리의 가치와 고객의 마음이 만나는 접점, 바로 그곳에서 차별화는 시작되는 것이니까요.

고객의 삶에 스며들고, 세상을 변화시키는 브랜드. 우리가 꿈꾸는 그 브랜드의 모습은 분명 도전적이지만 불가능한 것은 아닙니다. 고객 중심의 사고, 차별화된 가치 창출, 그리고 일관된 실천. 이 축을 따라 우리의 브랜드를 진화시켜 나간다면 언젠가 고객의 마음속 깊이 자리 잡는 그날이 올 것이라 확신합니다.

포지셔닝의 길은 멀고도 험난할 수 있습니다. 그러나 포기할 수 없는 여정임은 분명합니다. 우리 브랜드의 존재 이유이자, 고객에게 전하고 싶은 약속이기에. 그 길을 따라 오늘도 우리는 한 걸음 더 나아갑니다. 고객의 곁으로, 세상의 변화를 향해. 차별화의 DNA를 심장에 품고 말이죠.

OPEN AI 더보기

차별화 전략(Positioning)은 시장 내에서 제품이나 서비스가 차지하는 독특한 위치를 정의하고, 경쟁사와 구분되게 만드는 과정입니다. 이를 통해 타겟 고객에게 강한 인상을 남기고, 선택을 유도할 수 있습니다. 효과적인 포지셔닝 전략을 수립하는 데 도움이 될 수 있는 프롬프트는 다음과 같습니다.

1. 독특한 판매 제안(USP) 개발.

- "내 제품/서비스의 가장 독특하고 경쟁력 있는 특징은 무엇인가요?"

- "〔제품/서비스명〕이 경쟁 제품과 차별화되는 핵심 요소는 무엇인가요?"

2. 타겟 고객의 인식과 기대 조사.

- "타겟 고객이 〔제품/서비스명〕에 대해 가지고 있는 현재의 인식은 어떠한가요?"

- "고객이 〔제품/서비스명〕에서 기대하는 가치와 경험은 무엇인가요?"

3. 시장 내 위치 확인.

- "〔제품/서비스명〕이 시장에서 차지하는 현재 위치는 어디인가요?"

- "시장에서 선호되는 브랜드 위치는 어디이며, 내 제품/서비스는 어떻게 차별화

될 수 있나요?"

4. 경쟁사 분석을 통한 기회 발견.

- "경쟁사 제품/서비스의 약점은 무엇이며, 내 제품/서비스는 이를 어떻게 보완할 수 있나요?"

- "시장에서 미충족된 고객의 요구는 무엇이며, 내 제품/서비스가 이를 어떻게 충족시킬 수 있나요?"

5. 브랜드 이야기와 커뮤니케이션 전략.

- "내 브랜드의 스토리는 무엇이며, 이것이 고객에게 어떤 감정적 연결을 제공하나요?"

- "〔제품/서비스명〕의 메시지를 전달할 때 가장 중점을 두어야 할 커뮤니케이션 포인트는 무엇인가요?"

이러한 프롬프트를 통해 사업의 포지셔닝을 세심하게 계획하고, 명확하게 구현하여 타겟 시장 내에서의 경쟁력을 강화할 수 있습니다. 고객에게 도달하고, 시장 내에서의 독보적인 위치를 확보하는 데 중요한 역할을 할 것입니다.

제4부 마케팅 전략 수립

브랜딩 및 홍보 전략

10.1 브랜드의 개념과 중요성

브랜드란 단순한 상품명 이상의 의미를 지닙니다. 기업과 제품, 서비스의 정체성을 함축하는 이름이자 상징인 것이죠. 고객의 마음속에 자리 잡은 연상 이미지들의 집합, 그것이 바로 브랜드의 실체라 할 수 있습니다. 오늘날의 치열한 경쟁 환경 속에서 브랜드의 힘은 그 어느 때보다 막강해졌습니다. 기능적 편익을 넘어 고객의 감성과 자아 정체성까지 만족시키는 브랜드만이 선택받을 수 있게 된 것이죠.

브랜드 자산(Brand Equity)은 브랜드의 전략적 가치를 대변하는 개념입니다. 브랜드 인지도, 이미지, 충성도 등이 총체적으로 어우러진 무형의 자산이라고 할 수 있는데요. 기업 입장에서는 바로 이 브랜드 자산이 핵심 경쟁력의 원천이 되고 있습니다. 강력한 브랜드는 프리미엄 가격 설정, 신제품 론칭 등에 있어 막강한 영향력을 발휘하죠. 나아가 고객과의 감성적 유대, 충성도 제고 등 장기적 관계 구축에도 결정적 역할을 합니다. 이처럼 브랜드는 기업의 지속가능성을 좌우하는 핵심 자산으로 그 전략적 가치가 높아지고 있습니다.

10.2 브랜드 아이덴티티(Brand Identity) 구축

그렇다면 브랜드는 어떻게 만들어질까요? 무엇보다 핵심은 일관되고 차별화된 브랜드 정체성, 즉 '브랜드 아이덴티티'를 구축하는 것이라 할 수 있습니다. 브랜드 아이덴티티란 기업이 고객에게 약속하는 브랜드의 본질적 가치이자 개성을 의미하는데요. 이를 위해서는 브랜드의 장기적 비전과 존재 목적을 명확히 하는 것에서 출발해야 합니다. 브랜드가 추구하는 궁극적 가치와 고객 약속이 무엇인지 규정하고, 이를 조직 내외부에 명확히 각인시키는 것이죠.

이를 바탕으로 브랜드 아키텍처를 전략적으로 설계할 필요가 있습니다. 기업이 보유한 다양한 브랜드들을 어떻게 구조화할 것인지, 브랜드 간 역할과 관계를 어떻게 정의할 것인지에 관한 문제인데요. 모 브랜드(Master Brand)와 하위 브랜드, 개별 브랜드 등이 서로 보완적이면서도 차별적 역할을 수행할 수 있도록 브랜드 체계를 최적화하는 것이 관건이 될 것입니다.

나아가 브랜드의 핵심 가치와 개성을 명확히 하는 작업도 필요합니다. 수많은 브랜드 중에서 차별화되기 위해서는 브랜드만의 고유한 에센스와 퍼스낼리티를 규명해내는 것이 중요하죠. 브랜드가 추구하는 본질적 가치는 무엇이고, 어떤 개성과 이미지로 고객과 소통할 것인지. 이를 선명한 콘셉트와 크리에이티브 작업으로 구현해내야 합니다. 로고, 컬러, 디자인 등 시각적 요소 역시 이 브랜드 에센스를 효과적으로 전달할 수 있도록 개발되어야 할 것입니다.

10.3 브랜드 포지셔닝 및 커뮤니케이션 전략

브랜드 아이덴티티가 내적 본질이라면, 브랜드 포지셔닝은 외부 고객을 대상으로 한 전략적 방향성이라 할 수 있습니다. 경쟁 브랜드 대비 우리 브랜드만의 독특한 지점을 설정하고, 그 차별성을 어떻게 전달할 것인지 구체적 방안을 모색하는 것이죠. 무엇보다 타깃 고객에게 의미 있고 설득력 있게 다가갈 수 있는 포지셔닝 콘셉트를 개발하는 것이 핵심 과제가 될 것입니다. 고객 인사이트에 기반한 창의적이고 혁신적인 브랜드 가치 제안(Value Proposition)이 필요한 이유입니다.

브랜드 포지셔닝 전략은 IMC(Integrated Marketing Communication) 관점에서 일관되게 실행되어야 합니다. 매체 환경의 빠른 변화 속에서, TV, 온라인, 모바일 등 다양한 접점을 아우르는 통합적 메시지 전달이 그 어느 때보다 중요해졌기 때문이죠. 브랜드의 핵심 가치를 응축한 킬러 콘텐츠를 개발하고, 이를 ATL/BTL 채널들을 유기적으로 결합해 확산시키는 전략이 요구되는 상황입니다.

특히 디지털/소셜 미디어 환경에 주목할 필요가 있습니다. 온라인상에서의 브랜드 경험이 구매 여정의 핵심 관문으로 부상한 지 오래인데요. 단순 정보 전달이 아닌, 고객과의 상호작용을 통해 관계를 높여가는 쌍방향 브랜드 커뮤니케이션이 필수가 되고 있습니다. 블로그, 페이스북, 인스타그램 등 개별 플랫폼 특성에 최적화된 브랜드 스토리텔링을 제공하고, 고객 참여와 공유를 유도하는 전략적 활용이 중요해졌죠. 소셜 미디어상에서의 고객 반응과 구전 확산을 효과적으로 모니터링하고 대응하는 역량 또한 브랜드 관리에 있어 필수 요소로 자리 잡았습니다.

10.4 브랜드 관리 및 평가 프로세스

브랜딩 활동이 지속가능한 성과를 창출하기 위해서는 효과적인 브랜드 관리 및 평가 체계 구축이 필수적입니다. 먼저 조직 내 브랜드 관리 주체와 프로세스를 명확히 해야 하는데요. 브랜드 정책을 일관되게 적용하고 관리할 수 있는 브랜드 가이드라인과 거버넌스를 확립하는 것이 그 출발점이 될 것입니다. 나아가 브랜드에 대한 조직 구성원들의 이해와 내재화를 위한 교육 프로그램도 필요할 것 같습니다. CEO부터

일선 직원까지 브랜드 가치를 공유하고 자발적으로 실천할 수 있는 역량을 제고하는 것이 중요하기 때문이죠.

아울러 끊임없이 변화하는 시장 환경 속에서 브랜드의 위상과 성과를 객관적으로 진단하고 평가할 수 있는 역량도 필수적입니다. 브랜드 인지도, 선호도 등 핵심 브랜드 지표에 대한 주기적 모니터링이 이뤄져야 하고요. 브랜드 자산 가치를 정량적으로 측정, 평가할 수 있는 모델 개발과 활용도 병행되어야 할 것입니다. 이를 통해 단기적 마케팅 활동의 효과성은 물론, 장기적 브랜드 경쟁력까지 꾸준히 점검해 나가는 노력이 요구됩니다.

10.5 브랜딩 성공 사례 및 시사점

수많은 브랜드들의 성공 사례는 브랜딩의 중요성과 방향성을 잘 보여주고 있습니다. 나이키는 스포츠를 통한 도전과 열정의 브랜드 정신을 일관되게 구현해 온 대표적 사례라 할 수 있고요. 애플은 혁신과 창의성의 아이콘으로서, 제품을 넘어선 고객 경험 차별화의 교과서적 브랜드로 평가받습니다.

한편 국내에서는 신라면이 '밤새 당신의 마음을 끓였습니다'라는 브랜드 스토리텔링을 통해 소비자들의 마음을 사로잡은 것이 기억에 남는데요. 제품 안에 담긴 정성과 고객을 향한 진정성을 담백하게 전달함으로써 많은 공감을 이끌어냈습니다.

최근에는 디지털 플랫폼 기반의 창의적인 브랜드 경험 사례들도 주목할 만한데요. 오설록의 '나만의 茶카피' 캠페인은 소셜 미디어 참여를 통해 MZ세대의 자기표현 욕구를 브랜드 경험으로 승화시킨 혁신 사례로 꼽힙니다. 고객들이 직접 만든 티 카피를 패키지에 인쇄해주는 Co-creation 마케팅을 통해 폭발적 반응을 이끌어낸 것이죠.

이들 사례에서 볼 수 있듯 브랜딩의 성패를 좌우하는 것은 결국 '고객 중심적 사고'라 할 수 있을 것 같습니다. 단순히 기능적 우수성을 앞세우기보다 고객의 감성적 니즈와 라이프스타일에 깊이 공감하고 이를 브랜드 경험으로 구현해내려는 노력. 그것이 바로 브랜드 차별화와 고객 로열티를 견인하는 원동력이 되는 셈이죠.

10.6 요약 및 결론

지금까지 브랜딩 및 홍보 전략의 주요 개념과 프로세스를 살펴보았습니다. 브랜드 아이덴티티 정립에서 커뮤니케이션 실행, 성과 평가에 이르는 전 과정이 유기적으로 연계되어야 한다는 점, 그것이 핵심 포인트였던 것 같은데요. 무엇보다 급변하는 시장 환경 속에서 브랜딩의 틀을 끊임없이 혁신해 나가려는 자세가 중요하다는 생각이 듭니다. 확고한 브랜드 비전을 토대로 하되, 새로운 기술과 플랫폼, 그리고 진화하는 고객 니즈에 유연하게 적응해 나가는 민첩성 있는 브랜드 운영이 필요한 시점인 것 같습니다.

무엇보다 브랜딩의 중심에는 언제나 '고객'이 있어야 할 것입니다. 단순 소비자가 아닌, 브랜드와 함께 호흡하고 상호작용하는 능동적 주체로서 고객을 바라보는 관점의 전환이 필요한 상황이죠. 고객 한 사람 한 사람의 마음을 움직이고 삶의 순간 순간에 의미 있게 스며들 수 있는 브랜드, 그것이 바로 우리가 지향해야 할 브랜딩의 참모습이 아닐까요.

급격한 변화의 물결 속에서 브랜드의 힘은 그 어느 때보다 막강해졌습니다. 동시에 그 힘의 원천이 기술이나 자본이 아닌 고객과의 진정성 있는 관계, 신뢰와 애착에 있음을 깨닫게 되었고요. 브랜드에 대한 고객들의 기대와 요구 수준도 그만큼 높아지고 있는 상황입니다. 이제 브랜딩은 단순히 기업의 마케팅 활동을 넘어, 고객과 함께 새로운 가치를 창조하고 사회적 영향력을 발휘하는 혁신의 플랫폼으로 진화해야 할 시점인 것 같습니다.

강력한 브랜드 자산을 구축하고 고객과의 공감대를 형성하기 위한 여정. 그것은 결코 하루아침에 이뤄지지 않을 것입니다. 하지만 우리가 브랜드의 본질적 가치를 놓치지 않는 한, 결국 고객의 신뢰와 사랑으로 보답 받을 수 있으리라 믿습니다.

브랜드의 힘은 변화를 두려워하지 않는 도전 정신, 그리고 고객을 향한 깊은 공감에서 비롯됩니다. 우리의 브랜드가 고객의 마음속에 살아 숨 쉴 수 있도록. 오늘도 브랜딩의 여정을 걸어 나가는 우리 모두가 되었으면 합니다. 고객과 함께, 세상과 함께 말이죠.

마케팅 더 보기

IMC(Integrated Marketing Communication)는 통합 마케팅 커뮤니케이션을 의미합니다. 이는 기업이 일관되고 설득력 있는 브랜드 메시지를 다양한 커뮤니케이션 채널을 통해 전달함으로써 마케팅 효과를 극대화하려는 전략적 접근법입니다.

과거에는 광고, PR, 프로모션, direct marketing 등 개별 마케팅 활동들이 독립적으로 이뤄지는 경우가 많았습니다. 하지만 매체 환경이 빠르게 변화하고 고객 접점이 다양해지면서, 일관되고 통합된 브랜드 경험을 제공하는 것이 중요해졌죠.

IMC는 이러한 흐름 속에서 등장한 개념으로, 기업의 모든 마케팅 커뮤니케이션 활동을 통합적 관점에서 조율하고 연계하는 것을 핵심으로 합니다. 구체적으로는 다음과 같은 특징을 갖습니다.

1. 일관된 브랜드 메시지 전달: 각각의 채널과 수단을 통해 전달되는 브랜드 메시지의 톤앤매너와 크리에이티브 컨셉을 일관되게 유지함으로써 브랜드 아이덴티티를 강화합니다.

2. 시너지 창출: 광고, 프로모션, 디지털 마케팅 등 다양한 커뮤니케이션 활동들을 상호 연계하고 통합 운영함으로써 개별 활동의 한계를 극복하고 시너지 효과를 극대화합니다.

3. 고객 중심적 사고: 일방적 메시지 전달이 아닌, 고객의 관점에서 유의미하고 일관된 브랜드 경험을 설계하고자 합니다.

4. 데이터 기반 의사결정: 각 채널과 활동에서 생성되는 고객 데이터를 통합 분석함으로써 보다 정교한 타깃팅과 효과 측정이 가능해집니다.

IMC가 중요한 이유는 오늘날의 복잡한 미디어 환경 속에서 브랜드 메시지의 일관성과 효과성을 확보하기 위한 필수 전략이기 때문입니다. 고객들은 다양한 접점에서 브랜드를 경험하게 되는데, 각 채널에서의 메시지가 상호 모순되거나 충돌한다면 브랜드 신뢰도에 타격이 있을 수밖에 없겠죠. 따라서 온/오프라인, ATL/BTL 등의 구분을 넘어 모든 마케팅 커뮤니케이션 활동을 통합 조율하는 것이 그 어느 때보다 중요해진 상황입니다.

나아가 IMC 전략을 통해 제한된 마케팅 예산을 보다 효율적으로 투입하고 성과를 극대화할 수 있다는 점에서도 매력적인 접근법이라 할 수 있을 것 같습니다. 개별 채널별로 분절된 예산 운영이 아닌, 전사적 관점의 자원 배분과 성과 측정이 가능해지는 것이죠.

IMC는 결국 브랜드 자산을 극대화하고 고객과의 장기적 관계를 구축하기 위한 전략적 프레임워크라 할 수 있습니다. 마케팅 환경의 급격한 변화 속에서 그 중요성은 더욱 커질 것으로 보이는데요. 우리 브랜드만의 차별화된 IMC 모델을 고민하고 실행해 나가는 노력이 필요할 것 같습니다.

OPEN AI 더보기

브랜딩 및 홍보 전략은 기업이 시장에서 인식도를 높이고, 고객과의 관계를 구축하는 데 중요한 역할을 합니다. 효과적인 브랜딩과 홍보를 위한 프롬프트는 다음과 같습니다.

1. 브랜드 아이덴티티 구축.

- "내 브랜드의 핵심 가치와 미션은 무엇인가요?"

- "고객에게 어떤 이미지를 전달하고 싶은가요? 브랜드의 톤과 목소리는 어떻게 설정되어야 하나요?"

2. 타겟 고객과의 감성적 연결.

- "내 브랜드가 타겟 고객에게 전달하고자 하는 감정은 무엇인가요?"

- "고객이 내 브랜드와 상호작용할 때 어떤 경험을 제공하고 싶은가요?"

3. 홍보 전략 개발.

- "특정 〔제품/서비스명〕를 홍보할 때 가장 효과적인 채널은 무엇인가요?"

- "타겟 고객이 주로 사용하는 미디어 플랫폼은 어디인가요, 그리고 그 플랫폼에서 어떻게 브랜드를 돋보이게 할 수 있나요?"

4. 콘텐츠 마케팅 전략.

- "브랜드 스토리텔링을 통해 어떻게 고객의 관심을 끌 수 있나요?"

- "고객 참여를 높이기 위해 어떤 유형의 콘텐츠(예. 블로그, 비디오, 인포그래픽)를 생성할 수 있나요?"

5. 디지털 마케팅과 소셜 미디어 활용.

- "소셜 미디어 캠페인을 통해 내 브랜드 인지도를 어떻게 향상시킬 수 있나요?"

- "디지털 마케팅을 통해 브랜드 충성도를 구축하기 위한 전략은 무엇인가요?"

6. 고객 피드백 및 상호작용 강화.

- "고객 피드백을 어떻게 수집하고, 이를 브랜드 개선에 어떻게 활용할 수 있나요?"

- "고객과의 실시간 상호작용을 위해 어떤 도구나 플랫폼을 사용할 수 있나요?"

이러한 프롬프트를 사용하여 브랜딩 및 홍보 전략을 세우고 실행하면, 브랜드가 명확하게 인식되고 고객과의 지속적인 관계를 구축하는 데 크게 기여할 수 있습니다. 이 과정은 브랜드의 가치를 향상시키고, 시장에서의 경쟁력을 강화하는 데 중요합니다.

"사업에서 가장 중요한 한 가지는

무엇이 고객을 움직이게 하는지

끊임없이 파악하는 것이다."

제프 베이조스

브랜딩 및 홍보 전략

11.1 가격의 개념과 중요성

가격이란 기업이 제품이나 서비스의 금전적 가치를 표현하는 수단입니다. 좁게는 제품에 붙는 가격표일 수 있지만, 넓게는 고객과의 가치 교환을 위한 거래 조건이라 할 수 있겠죠. 가격은 기업의 수익성과 직결되는 핵심 마케팅 변수인 동시에, 브랜드 포지셔닝과 고객 인식에도 지대한 영향을 미칩니다. 동일한 제품이라도 가격대에 따라 고급스러운 이미지를 줄 수도, 저가 브랜드로 인식될 수도 있기 때문입니다. 따라서 제품의 객관적 속성뿐 아니라 고객이 느끼는 주관적 가치를 정확히 파악하여 최적의 가격을 책정하는 것이 마케팅 성공의 관건이 된다고 할 수 있겠습니다.

11.2 가격 결정 요인

그렇다면 가격은 어떤 요인들에 의해 결정될까요? 크게 내부 요인과 외부 요인으로 나누어 살펴볼 수 있을 것 같은데요. 먼저 내부 요인으로는 원가 구조를 들 수 있겠습니다. 제품 생산에 투입되는 고정 비용, 변동 비용 등을 종합적으로 고려하여 가격 하한선을 설정하게 되죠. 아울러 기업의 마케팅 목표도 가격 책정에 영향을 미칩니다. 단기적 매출 극대화가 목표라면 상대적으로 낮은 가격을, 이익 극대화나 브랜드 이미지 제고가 주된 목표라면 좀 더 높은 가격대를 형성할 수 있을 것입니다. 제품 특성 역시 간과할 수 없는 요소인데요. 혁신성, 희소성 등 제품 고유의 경쟁우위 요인이 있다면 프리미엄 가격 전략도 가능해질 것입니다.

한편 외부 환경 요인으로는 먼저 시장 수요를 꼽을 수 있습니다. 제품에 대한 소비자 수요가 탄력적인지, 비탄력적인지에 따라 가격 전략이 달라질 수 있기 때문이죠. 필수재에 가까울수록 비교적 고가 전략이 유효할 수 있겠고, 수요 변동성이 큰 제품군은 신중한 가격 운용이 요구됩니다. 경쟁 상황 또한 주요하게 고려해야 할 외부 요인입니다. 주요 경쟁사들의 가격 정책, 시장 내 가격 관행 등을 면밀히 분석하여 적정 가격대를 모색해야 할 것입니다. 나아가 거시 경제 환경의 변화, 정부 정책이나 규제 등의 영향을 받을 수도 있음을 염두에 두어야 합니다.

11.3 가격 전략 유형

이렇듯 다양한 요인들의 영향 속에서, 기업은 전략적 선택을 통해 최적의 가격을 책정하게 됩니다. 그 유형도 매우 다양한데요. 신제품 가격의 경우, 프리미엄 이미지 구축을 위한 초기 고가 전략인 'Skimming'과 시장 점유율 확대를 위한 'Penetration' 저가 전략이 대표적입니다. 기존 제품군 내에서는 라인업 간 가격 차별화를 통해 수요 계층을 확대하는 '제품라인 가격 전략', 기본형에 추가 옵션 가격을 더하는 '옵션 가격 전략', 본체와 소모품으로 가격을 분리하는 '부가 제품 가격 전략' 등이 활용되고 있습니다.

경쟁사를 의식한 가격 전략도 존재하는데요. 가격을 통해 경쟁사에 일종의 메시지를 전달하는 '가격 신호 전략', 경쟁사의 가격 정책에 공격적으로 대응하는 '가격 전쟁' 등이 그 예라 할 수 있겠습니다. 한편, 고객 지향적 가격 전략의 대표적 유형으로는 고객 지각 가치에 기반한 '지각 가격', 고객 세분 집단별로 차별화된 가격을 적용하는 '세분화 가격', 그리고 할인율의 심리적 효과를 극대화하는 '심리적 가격' 등을 들 수 있습니다.

11.4 가격 전략 수립 프로세스

효과적인 가격 전략을 수립하기 위해서는 체계적이고 심도 있는 분석 과정이 필요합니다. 먼저 매출, 이익 등과 관련한 구체적 가격 목표를 명확히 하는 것이 출발점이 되겠죠. 이를 토대로 다양한 가격대에 따른 수요 변동을 추정하고 수요 곡선을 도출하는 과정이 필요합니다. 원가 분석을 통해서는 제품 생산에 소요되는 고정/변동 비용을 파악하고, 손익분기점 달성을 위한 최소 가격을 산정할 수 있을 것입니다.

아울러 경쟁사 가격에 대한 면밀한 조사도 필수적인데요. 주요 경쟁 상품의 가격대와 변동 추이, 그리고 이를 통해 유추되는 경쟁사의 가격 전략을 입체적으로 분석해 봐야 할 것 같습니다. 이렇게 수요, 원가, 경쟁 구도 등을 종합적으로 고려하여 도출된 가격 대안은 시장 검증 과정을 거치게 되는데요. 테스트 마케팅이나 A/B 테스트 등을 통해 고객 반응을 살펴보고, 필요 시 수정 보완하는 과정이 요구됩니다.

11.5 가격 전략 실행 시 유의사항

아무리 정교한 가격 전략이라도 실행이 제대로 뒷받침되지 않으면 성과를 기대하기 어려울 것입니다. 무엇보다 책정된 가격에 걸맞은 가치와 혜택을 고객에게 명확히 전달하는 것이 중요합니다. 가격 프로모션 등을 통해 일시적 관심은 끌 수 있을지 모르지만, 지속 가능한 성장을 위해서는 제품 품질과 서비스를 통한 고객 가치 제고가 필수적이기 때문이죠.

아울러 원가 변동, 환율 변화 등에 따른 가격 조정을 적시에 단행할 수 있어야 합니다. 비용 절감 노력도 병행해야 하고요. 유통 채널 간, 지역 간 가격 차이가 발생하지 않도록 모니터링하고 관리하는 것도 중요한 과제입니다. 끝으로 단기적 매출 확대에 급급해 지나친 가격 인하 경쟁에 뛰어드는 것은 신중할 필요가 있어 보이는데요. 브랜드 자산 가치를 훼손시킬 수 있기 때문입니다. 장기적 관점에서 브랜드 일관성을 유지하면서도 환경 변화에 능동적으로 대처할 수 있는 균형 감각이 요구되는 대목이라 할 수 있겠습니다.

11.6 가격 전략 성공 사례

글로벌 브랜드들의 가격 전략은 많은 시사점을 제공해 주고 있습니다. 애플은 혁신적 제품력에 걸맞은 프리미엄 가격 정책으로 고급 브랜드로서의 이미지를 확고히 구축해 왔는데요. 반면 이케아는 합리적인 저가 전략과 맞춤형 제품 구성을 통해 차별화에 성공한 것으로 평가되고 있습니다.

한편 베스킨라빈스는 특별한 굿즈를 구매할 수 있는 프리미엄 가격을 적용함으로써 특정 계층의 수요를 극대화하는 전략을 펼치고 있죠. 이처럼 성공적 가격 전략의 바탕에는 핵심 고객에 대한 깊이 있는 이해, 그리고 자사 역량에 대한 냉철한 분석이 자리잡고 있음을 알 수 있습니다.

변화무쌍한 시장 환경 속에서 가격 전략의 중요성은 날로 커지고 있습니다. 단순히 숫자 놀음이 아닌, 고객의 마음을 움직이고 시장을 선도하는 전략적 무기로서 가격의 힘을 활용할 때입니다. 기술을 혁신하고, 품질을 개선하고, 서비스를 강화하는 노력. 가격 전략은 바로 그러한 노력의 결실이 응축되는 결정체이자, 고객에게 전달되는 최종 메시지라는 점을 잊지 말아야 할 것입니다.

숫자가 아닌 가치, 그 가치를 정확히 짚어내고 진정성 있게 전달할 때 비로소 고객의 신뢰를 얻고 시장에서 주도권을 잡을 수 있을 것입니다. 단기적 성과에 연연하기보다 기업의 미래 가치를 고민하는 통찰, 그것이 가격 전략을 관통하는 핵심 가치가 되어야 할 것입니다. 브랜드의 약속이 가격표에 녹아 있는 기업, 시장과 고객의 신뢰를 가격으로 받아내는 기업이 되기 위해 우리 모두 지혜를 모아야 할 때입니다.

OPEN AI 더보기

가격 전략은 사업의 수익성과 시장 점유율을 결정하는 데 중요한 역할을 합니다. 효과적인 가격 설정을 위한 프롬프트는 다음과 같습니다.

1. 가격 결정 기준 파악.

- "제품/서비스의 원가는 얼마이며, 이를 기반으로 어떤 가격을 설정해야 합리적인가요?"

- "시장 내 경쟁 제품/서비스의 가격 범위는 어떻게 되나요, 그리고 내 제품/서비스는 이와 어떻게 차별화되나요?"

2. 가격 민감도 분석.

- "내 타겟 고객의 가격 민감도는 어느 정도인가요?"

- "가격 변동이 구매 결정에 미치는 영향을 어떻게 평가할 수 있나요?"

3. 심리적 가격 설정.

- "심리적 가격 책정(예. 19,900원 대신 20,000원)이 고객의 구매 결정에 어떻게 영향을 미칠 수 있나요?"

- "특정 가격 포인트가 고객에게 전달하는 메시지는 무엇인가요?"

4. 가격 전략 유형 결정.

- "내 제품/서비스에 가장 적합한 가격 전략(예. 침투 가격 책정, 고가 가격 책정, 가치 기반 가격 책정)은 무엇인가요?"

- "시장 진입 전략으로서 가격 할인이나 프로모션을 어떻게 활용할 수 있나요?"

5. 가격 유연성 및 조정.

- "시장 변화에 따라 가격을 어떻게 조정할 수 있나요?"

- "다양한 고객 세그먼트 또는 판매 채널에 따른 차별화된 가격 전략은 무엇인가요?"

6. 가격과 브랜드 가치.

- "가격이 내 브랜드 인식에 어떤 영향을 미칠까요?"

- "고가격 전략이 브랜드의 프리미엄 이미지 구축에 어떻게 기여할 수 있나요?"

이러한 프롬프트들을 통해 사업의 가격 전략을 신중하게 계획하고 실행하면, 경쟁력을 유지하고 수익성을 높일 수 있습니다. 가격은 고객의 구매 결정에 직접적인 영향을 미치므로, 시장 조사와 고객 피드백을 통해 지속적으로 가격 전략을 조정하는 것이 중요합니다.

“가격은 일시적인 이점일 뿐,

품질과 가치는 지속적인 경쟁력의 원천이다.”

스티브 잡스

유통 전략

12.1 유통의 개념과 중요성

유통이란 제품이 생산자로부터 최종 소비자에게 전달되는 일련의 과정을 의미합니다. 단순히 제품을 운반하고 보관하는 물류 활동만을 뜻하는 것이 아니라, 고객의 구매 접점을 제공하고 시장 수요에 부응하는 모든 마케팅 활동을 포괄하는 개념이라 할 수 있는데요. 기업 입장에서는 목표 고객에게 효과적으로 제품을 전달함으로써 고객 가치를 극대화하는 것이 유통 관리의 궁극적 목표가 될 것입니다.

오늘날 치열한 시장 경쟁 속에서 유통의 전략적 중요성은 나날이 커지고 있습니다. 동일한 제품이라도 어떤 유통 경로를 통해 얼마나 효율적으로 판매하느냐에 따라 기업의 매출과 수익성이 크게 좌우되기 때문인데요. 시장 점유율 확대, 브랜드 파워 강화 등 기업의 지속적 성장을 위해서는 체계적인 유통 전략 수립과 실행이 필수 과제로 대두되고 있습니다. 제품의 특성과 시장 환경에 부합하는 최적의 유통 구조를 설계하고, 유통 채널 구성원 간의 유기적 협업을 도모하는 것이 유통 전략의 성패를 가르는 핵심 포인트가 될 것입니다.

12.2 유통 경로 설계

그렇다면 제품을 고객에게 전달하기 위한 유통 경로는 어떻게 설계할 수 있을까요? 크게 직접 유통과 간접 유통, 두 가지 유형으로 나눠볼 수 있을 텐데요. 직접 유통은 제조사가 중간 유통 업체를 거치지 않고 직접 소비자에게 제품을 판매하는 방식입니다. 자사 직영 매장이나 온라인 쇼핑몰 운영 등이 대표적 사례가 되겠죠. 반면 간접 유통은 도매상, 소매상 등 중간 유통 업체를 통해 제품을 판매하는 경로를 의미합니다. 대리점, 특약점, 할인점 등 다양한 유통 채널이 활용되고 있습니다.

최근에는 직접 유통과 간접 유통을 혼합한 복합 유통 전략도 활발히 시도되고 있는데요. 예를 들어 자사 온라인 몰과 대리점을 함께 운영한다거나, 직영 매장과 입점 매장을 병행하는 식의 다채널 전략이 그것입니다. 유통 채널 간의 장단점을 상호 보완하고 시너지 효과를 창출할 수 있다는 점에서 복합 유통의 활용도는 더욱 높아질 전망입니다.

유통 경로를 설계할 때에는 무엇보다 제품의 특성을 고려해야 합니다. 고가의 전문 상품이라면 직접 유통이, 일상 소비재라면 간접 유통이 적합할 수 있겠죠. 판매 시장의 범위와 고객 분포 현황 등도 중요한 변수가 될 텐데요. 소규모 로컬 시장이라면 직접 유통으로도 효과적인 시장 대응이 가능하겠지만, 광역 시장 공략을 위해서는 간접 유통 채널 확보가 필수적일 것입니다.

아울러 자사의 인적, 물적 자원 역량도 유통 경로 선택의 기준이 됩니다. 충분한 자금력과 전문 인력을 보유하고 있다면 직접 유통 운영도 가능하겠지만, 그렇지 못한 경우라면 외부 유통 파트너와의 협업이 불가피할 테니까요. 각 유통 경로 별 비용 구조와 운영 효율성 역시 꼼꼼히 분석해야 할 부분입니다. 단순히 매출 규모만이 아니라 수익성, 투자 효율성 등을 다각도로 검토하여 최적의 유통 포트폴리오를 구성해야 할 것입니다.

12.3 유통 채널 관리

유통 경로 설계와 함께 유통 성과를 좌우하는 핵심 과제는 바로 유통 채널에 대한 효과적 관리라 할 수 있습니다. 단순히 좋은 유통 채널을 확보하는 것에서 그치는 것이 아니라, 채널 구성원들과 생산적 파트너십을 구축하고 상호 협력을 이끌어내는 관리 역량이 필수적으로 요구되기 때문인데요.

먼저 각 유통 단계별로 적합한 파트너를 선정하고 이들의 역할을 명확히 규정하는 것이 중요합니다. 단순히 영업력만이 아니라 브랜드 이해도, 장기적 성장 비전 등을 바탕으로 신중하게 채널 파트너를 선별해야 할 것입니다. 선정된 채널 구성원에 대해서는 정기적 모니터링과 성과 평가를 통해 관리 수준을 높여 나가야 하는데요. 판매 목표 달성률, 고객 만족도 등 다양한 정량/정성 지표를 활용하여 채널 파트너의 역량을 진단하고 개선 방안을 모색해야 합니다. 이와 함께 지속적 교육과 동기부여를 통해 채널 구성원의 역량 강화를 독려하는 것도 잊어서는 안 될 부분입니다.

나아가 개별 채널 관리를 넘어 채널 간 유기적 연계와 통합적 운영 체계를 구축하는 것이 최근 유통 트렌드의 핵심으로 자리매김하고 있습니다. 예컨대 제조사 주도로 유통 채널 전반을 계열화하여 시장 지배력을 강화하는 수직적 마케팅 시스템(VMS)이 대표적 사례가 될 텐데요. 제조사가 유통 채널을 직접 소유, 운영하거나 장기 계약을 통해 실질적 통제권을 행사함으로써 브랜드 일관성을 유지하고 유통 효율성을 제고하는 전략입니다.

다채널 유통 환경이 본격화됨에 따라 채널 간 역할 분담과 상생 협력의 중요성도 커지고 있습니다. 온라인, 모바일, 오프라인 등 각 채널의 특성을 고려하여 채널 간 갈등을 조정하고 협력을 이끌어내는 것이 다채널 관리의 요체라고 할 수 있겠는데요. 이를 위해 채널 간 정보 공유 및 공동 마케팅 추진, 교차 판매 도입 등 채널 간 시너지 창출 방안을 적극 모색해야 할 것으로 보입니다. 아울러 채널 성과에 대한 합리적 평가와 보상 체계를 구축함으로써 채널 구성원의 동기부여와 관계 유지에도 만전을 기해야 할 것입니다.

12.4 유통 물류 관리

제값 받고 제품을 판매하는 것 못지않게 중요한 것이 바로 적시 적소에 제품을 전달하는 물류 역량이라 할 수 있을 텐데요. 고객 만족과 직결되는 동시에 기업의 수익성 개선에도 직접적 영향을 미치는 분야가 바로 물류이기 때문입니다. 물류비 절감, 적시 배송, 재고 최소화 등이 물류 관리의 주요 목표가 될 텐데요. 주문 정보 처리부터 재고 관리, 운송, 보관에 이르기까지 물류의 전 과정을 아우르는 통합적 관리 체계 구축이 강조되고 있습니다.

특히 기업 간 경계를 넘어 전체 공급망 차원에서의 협력 증진과 프로세스 최적화가 물류 효율성 제고의 핵심 과제로 떠오르고 있는데요. 정보 공유 및 협업 체계 강화를 통해 재고 부담을 경감하고 불확실성을 제거해 나가는 것이 공급망 관리(SCM)의 요체라 할 수 있을 것입니다. 수요 정보의 실시간 공유와 동기화된 생산 계획 수립 등 공급망 통합 관점의 물류 운영이 필수 전략으로 자리 잡고 있습니다.

나아가 환경 문제에 대한 사회적 관심이 높아짐에 따라 녹색 물류 이슈도 부각되고 있는데요, 기업의 사회적 책임 이행 차원에서도 지속 가능한 물류 체계 구축이 중요한 화두로 떠오르고 있습니다. 친환경 운송수단 도입, 재활용 포장재 사용 등 그린 물류 실천을 적극 검토해야 할 시점인 것 같습니다. 물류 공동화나 자원 재활용 시스템 구축 등 산업 차원의 환경 개선 노력도 병행되어야 할 것으로 보입니다.

12.5 온라인 유통 전략

최근 온라인 쇼핑 인구의 급증과 함께 전자 상거래 비중이 빠르게 확대되고 있는 상황인데요. 모바일 기기의 대중화로 온라인 유통 시장의 외연은 더욱 확장될 전망입니다. 새로운 유통 트렌드에 대한 선제적 대응이 기업 경쟁력의 관건으로 떠오른 만큼, 온라인 유통 전략 역량 강화가 시급한 과제로 대두되고 있습니다.

먼저 다양한 온라인 유통 채널 특성을 파악하고 자사에 최적화된 채널 포트폴리오를 구축하는 것이 중요합니다. 자사몰, 오픈마켓, 소셜커머스 등 각 채널 유형별 장단점을 비교 분석하고 상호 연계 및 통합 운영 방안을 모색해야 할 것입니다. 온라인 전용 상품 및 프로모션 개발, 채널 맞춤형 가격 및 판매 정책 수립 등도 온라인 유통 활성화를 위한 주요 전략 과제가 될 것으로 보입니다.

무엇보다 온라인 채널 운영 시에는 오프라인과의 연계와 시너지 창출 방안을 적극 고민할 필요가 있어 보입니다. 단순히 이원화된 채널 운영에 그치는 것이 아니라 온오프라인 채널의 융합을 통해 유통 경쟁력을 높여 나가야 한다는 말씀이죠. 배송 및 반품 거점으로서의 오프라인 매장 활용, 온라인-오프라인 통합 재고 관리 시스템 도입 등이 대표적인 전략 방안이 될 수 있을 것 같네요. 온라인 사이트와 연계한 상품 체험 및 프로모션 이벤트 운영 등 오프라인 매장의 체험 마케팅 기능을 강화하는 것도 좋은 방법이 될 것입니다.

아울러 온라인의 특성을 반영한 디지털 마케팅 활동 강화도 빼놓을 수 없는 부분인데요. 검색 최적화, 배너 광고 등 Pull 형 온라인 광고를 적극 활용하는 한편, 브랜드 SNS 채널 구축, influencer 마케팅 등 양방향 소통형 마케팅에도 주력해야 할 것으로 보입니다. 빅데이터 기반의 개인화 마케팅, AR/VR 등 실감형 콘텐츠 마케팅 등 차별화된 디지털 마케팅 기법 적용도 적극 검토해 볼 만 할 것 같습니다. 고객 데이터 분석 및 활용 역량 강화를 통해 온라인 유통의 정교함과 효율성을 높여 나가는 노력이 병행되어야 할 것입니다.

12.6 유통 전략 성공 사례

글로벌 브랜드들의 혁신적 유통 전략은 우리에게 많은 시사점을 제공하고 있습니다. 나이키의 경우 직영 매장과 대리점을 통한 다채널 전략으로 유통 경쟁력을 높이고 있는데요. 특히 플래그십 스토어 운영을 통해 브랜드 이미지를 제고하는 한편, 대리점에 대한 교육 및 인센티브 지원을 통해 채널 관리 효율성도 높이고 있습니다.

커피 브랜드 네스프레소는 자체 유통망을 구축함으로써 브랜드 가치를 극대화한 것으로 평가받고 있는데요. 직영 부티크를 통해 브랜드 체험 기회를 제공하고 1:1 마케팅을 강화함으로써 프리미엄 시장을 선도하고 있습니다.

월마트는 효율적 공급망 관리를 통해 가격 경쟁력을 확보한 대표적 유통 혁신 기업인데요. 정보 시스템 기반의 재고 관리, cross-docking 시스템 도입 등을 통해 유통 효율성을 극대화하고 있는 것으로 알려져 있습니다.

이들 기업의 성공 사례에서 볼 수 있듯 유통 경쟁력의 원천은 제품 특성과 목표 시장에 최적화된 유통 체계를 갖추고, 관련 프로세스를 지속 혁신해 나가는 데 있다고 할 수 있습니다. 유통 효율화와 고객 가치 제고를 위한 구조적 혁신, 세부 활동 간 긴밀한 연계와 통합이 유통 경쟁 우위의 핵심 요소라 할 수 있겠습니다.

12.7 요약 및 시사점

지금까지 유통의 개념과 유통 전략 수립을 위한 주요 고려 요소들에 대해 살펴보았습니다. 유통이 단순히 제품을 전달하는 과정을 넘어 고객 관계 형성과 브랜드 자산 구축의 핵심 기제로 그 중요성이 높아지고 있음을 확인할 수 있었는데요. 기업의 유통 경쟁력이 사업 성과에 미치는 영향력을 감안할 때 전략적 관점의 유통 혁신과 역량 제고가 시급한 상황이라 할 수 있겠습니다.

무엇보다 자사 제품의 특성과 목표 시장에 부합하는 유통 경로를 선택하고, 채널 구성원과의 상생 협력 관계를 구축해 나가는 것이 유통 전략의 요체라는 사실을 잊어서는 안 될 것 같습니다. 수직적 통합이나 다채널 관리 등 새로운 환경 변화를 반영한 유통 체계 구축도 적극 검토해야 할 때인데요. 이를 위해 조직 내 유통 전략 기능을 강화하고 유관 부서 간 협업 체계를 공고히 하는 한편, 외부 파트너와의 신뢰 관계 형성에도 힘써야 할 것입니다.

아울러 전자 상거래 확산, 옴니채널 진화 등 유통 환경의 급격한 변화에 대응하기 위한 선제적 역량 확보에도 만전을 기해야 할 것으로 보입니다. 새로운 기술과 트렌드를 기민하게 포착하고 이를 유통 프로세스 전반에 신속히 접목시켜 나가는 혁신 드라이브가 요구되는 시점인 만큼, 유연하면서도 스피드 있는 의사결정 체계를 갖추는 것이 중요해 보입니다.

기술 변화의 물결 속에서도 불변하는 유통의 본질은 결국 '고객 가치 제고'라는 점을 잊지 말아야 할 것입니다. 첨단 기술과 화려한 매장도 중요하지만 그 이면에는 고객의 니즈에 대한 공감, 고객 편의 증진을 위한 세심한 배려가 자리하고 있어야 합니다. 고객 관점에서 유통 전략을 바라보고 혁신 활동을 전개해 나갈 때 비로소 유통은 기업 성장의 날개가 되어줄 것입니다.

유통의 길은 분명 쉽지만은 않을 것입니다. 새로운 트렌드와 기술, 치열한 경쟁의 소용돌이 속에서 방향을 잡기가 어려울 수도 있습니다. 그럴 때마다 '고객을 위한 가치 창출'이라는 유통의 본원적 역할을 떠올려보면 좋겠습니다. 그 가치를 키워드로 삼아 기술을 도입하고, 프로세스를 혁신하며, 조직의 역량을 집중해 나간다면 어려운 상황 속에서도 건강하고 지속 가능한 성장을 이뤄낼 수 있으리라 확신합니다.

OPEN AI 더보기

유통 전략은 제품이나 서비스가 소비자에게 효과적으로 도달할 수 있도록 하는 중요한 비즈니스 요소입니다. 적절한 유통 채널을 선택하고 최적화하는 것은 시장 접근성과 고객 만족도를 높이는 데 핵심적인 역할을 합니다. 다음은 유통 전략을 계획하고 평가하는 데 도움이 될 수 있는 몇 가지 프롬프트입니다.

1. 유통 채널 선택.

- "내 제품/서비스에 가장 적합한 유통 채널은 무엇인가요?"

- "온라인과 오프라인 유통 채널 중, 어떤 채널이 타겟 고객에게 더 효과적으로 접근할 수 있나요?"

2. 채널 통합 전략.

- "다양한 유통 채널을 어떻게 통합하여 일관된 고객 경험을 제공할 수 있나요?"

- "옴니채널 전략을 통해 고객과의 접점을 어떻게 확장할 수 있나요?"

3. 유통 파트너 관리.

- "유통 파트너를 선정할 때 어떤 기준을 적용해야 하나요?"

- "유통 파트너와의 관계를 관리하고 최적화하기 위한 전략은 무엇인가요?"

4. 유통 비용 최적화.

- "유통 과정에서 발생하는 비용을 어떻게 관리하고 최소화할 수 있나요?"

- "유통 로지스틱스의 효율성을 높이기 위한 전략은 무엇인가요?"

5. 지역 시장 특성 고려.

- "다양한 지역 시장의 특성을 어떻게 고려하여 유통 전략을 조정할 수 있나요?"

- "국제 시장에 진입할 때 고려해야 할 유통 전략은 무엇인가요?"

6. 유통 채널 모니터링 및 평가.

- "유통 채널의 성과를 모니터링하고 평가하기 위한 지표는 무엇인가요?"

- "유통 채널의 성과가 기대에 못 미칠 때 취할 수 있는 조치는 무엇인가요?"

이러한 프롬프트를 통해 비즈니스의 유통 전략을 체계적으로 계획하고 실행할 수 있습니다. 유통 채널은 제품이나 서비스의 가치 전달 과정에서 중요한 역할을 하므로, 전략적으로 접근하고 지속적으로 관리하는 것이 필수적입니다.

“고객이 원하는 방식으로,

원하는 시간에, 원하는 장소에서 제품을 제공하는 것이

유통의 본질이다.”

제프 베이조스

프로모션 전략

13.1 프로모션의 개념과 목적

프로모션이란 기업이 제품이나 서비스에 대한 정보를 소비자에게 전달하고 구매를 유도하는 일련의 마케팅 활동을 의미합니다. 광고, 판매 촉진, 인적 판매, 홍보, 직접 마케팅 등 다양한 커뮤니케이션 수단을 통해 브랜드 인지도를 높이고 소비자의 구매 욕구를 자극하는 것이 프로모션의 궁극적 목적이라고 할 수 있는데요. 특히 신제품 론칭이나 매출 부진 등 단기적 성과 제고가 필요한 상황에서 프로모션의 역할이 더욱 강조되곤 합니다.

하지만 프로모션을 단순히 단기적 판매 증대 수단으로만 바라보는 것은 바람직하지 않습니다. 장기적 관점에서 브랜드 자산을 강화하고 고객과의 유대감을 높이는 전략적 활동으로 인식하는 것이 중요한데요. 일관되고 차별화된 브랜드 메시지를 전달함으로써 타겟 고객층의 인식 속에 긍정적 브랜드 이미지를 각인시키는 것, 그것이 바로 현대 프로모션의 새로운 역할이라 할 수 있겠습니다.

13.2 프로모션 믹스(Promotion Mix)의 구성 요소

프로모션은 크게 광고, 판매 촉진, 인적 판매, 홍보, 직접 마케팅 등 5가지 요소로 구성되는데요. 이를 프로모션 믹스라고 부릅니다. 각 구성 요소의 특징을 간단히 살펴보겠습니다.

먼저 광고는 TV, 라디오, 신문 등 대중 매체를 통해 불특정 다수에게 브랜드 메시지를 전달하는 활동입니다. 최근에는 디지털 광고 비중이 높아지면서 배너 광고, 검색 광고, SNS 광고 등 다양한 유형이 활용되고 있고요. 빌보드, 전광판 등 옥외 매체 광고도 주요한 광고 채널로 자리잡고 있습니다.

판매 촉진은 가격 할인, 쿠폰, 사은품 증정 등 소비자의 즉각적인 구매를 유도하기 위한 단기적 프로모션 활동을 말합니다. 신제품 론칭, 명절, 기념일 등 특수한 시기에 집중적으로 실시되곤 하는데요. 온오프라인을 넘나드는 판촉 이벤트 역시 판매 촉진의 대표적 사례라 할 수 있겠습니다.

인적 판매는 판매원이 고객과 직접 상호작용하며 설득하는 활동을 의미합니다. 매장 내 판매 인력이 대표적인데요. 백화점 화장품 브랜드샵처럼 전문 상담 인력을 운영하거나, 방문 판매, 딜러 영업 등 다양한 형태로 이뤄지기도 합니다. 특히 고객 관계 관리(CRM) 차원에서 일대일 마케팅으로 발전하는 추세입니다.

홍보는 기업의 이미지 제고를 위한 전략적 커뮤니케이션 활동을 말합니다. 보도자료 배포, 기자 간담회 등 미디어 홍보는 물론, 사회 공헌, 스폰서십, 메세나 활동 등 다양한 방식으로 이뤄지는데요. 최근 ESG 경영이 강조되면서 기업의 사회적 책임(CSR) 활동의 일환으로서 홍보의 중요성이 높아지고 있습니다.

마지막으로 직접 마케팅은 우편, 이메일, 카탈로그 등 개인 맞춤형 채널을 통해 고객과 직접 소통하는 활동입니다. 전화 마케팅, DM 발송 등이 전통적 직접 마케팅 기법이라면, 최근에는 온라인 쇼핑몰, 모바일 앱 등 디지털 플랫폼을 통한 직접 판매가 활발히 이뤄지고 있습니다.

13.3 통합적 마케팅 커뮤니케이션(IMC)과 프로모션 전략

다양한 프로모션 수단을 개별적으로 운영하는 것이 아니라, 일관되고 통합된 메시지를 전달하는 것. 바로 그것이 프로모션 전략의 핵심이라고 할 수 있습니다. '통합적 마케팅 커뮤니케이션(IMC)'의 개념이 강조되는 이유가 바로 여기에 있는데요.

IMC란 기업의 모든 마케팅 커뮤니케이션 활동을 일관된 브랜드 컨셉 하에서 통합 관리함으로써 시너지 효과를 극대화하자는 전략적 접근법입니다. 광고, 프로모션, 디지털 등 각 영역 간 칸막이를 허물고 긴밀한 연계를 도모하는 거죠.

IMC 관점의 프로모션 전략을 수립하기 위해서는 우선 명확한 목표 설정이 선행되어야 합니다. 단순 매출 증대부터 브랜드 인지도 제고, 신규 고객 유치, 고객 유지율 향상 등 구체적인 목표를 세분화하는 것이 중요한데요.

이를 토대로 타겟 고객을 면밀히 분석하고 이들에게 최적화된 채널 구성을 해나가야 합니다. 젊은 층을 대상으로 한다면 디지털/SNS 채널 비중을 높이고, 중장년층이 타깃이라면 지면 광고나 옥외 광고 등 전통 매체의 활용도를 제고하는 식이죠.

아울러 전체 프로모션 예산을 적절히 배분하고 각 채널별 KPI를 설정, 성과를 상시 모니터링 할 수 있는 체계를 갖추는 것도 필수적입니다. 단발성 이벤트성 예산 투입이 아닌 장기적 관점의 브랜드 자산 구축에 방점을 둔 전략적 예산 운영이 요구되는 대목이기도 합니다.

13.4 프로모션 실행 프로세스

그렇다면 구체적으로 프로모션 전략은 어떤 프로세스로 실행될까요? 크게 5단계로 나눠볼 수 있을 것 같습니다.

첫째, 프로모션 목표를 명확히 설정하는 것에서 출발합니다. 인지도 제고가 주된 목표라면 광고에, 구매 전환이 시급하다면 가격 프로모션에 방점을 두는 식으로 목표에 따라 세부 전술을 달리해야 하는데요. 아울러 누구를 대상으로 할 것인지, 타겟 고객층을 구체적으로 규정하는 것도 중요합니다.

둘째, 전체 마케팅 예산 내에서 프로모션 예산을 편성하고 각 수단별로 배분하는 작업이 뒤따릅니다. 신제품의 경우 초기 인지도 제고를 위해 광고 예산 비중을 높게 잡을 수 있고, 성숙기 제품은 판매 촉진에 집중하는 등 상황에 맞게 예산을 탄력적으로 운영하는 게 핵심이 되겠죠.

셋째, 일관되고 창의적인 프로모션 메시지를 개발해야 합니다. 브랜드 컨셉과 포지셔닝에 부합하면서도 차별화된 소구점을 담아내는 것이 관건인데요. 고객 인사이트에 기반한 공감각 있는 메시지야 말로 프로모션 성공의 열쇠가 될 것입니다.

넷째, 프로모션 목적과 타겟에 맞는 최적의 채널을 선정하고 운영 계획을 세워야 합니다. 요즘 같은 디지털 시대에는 온오프라인을 넘나드는 통합적 채널 전략이 요구되는데요. ATL, BTL을 아우르는 크로스미디어 캠페인을 펼치되, 채널별 예산 운영과 성과 모니터링까지 세심하게 관리할 수 있어야 합니다.

마지막으로 프로모션 성과를 정직하게 평가하고 환류하는 과정이 필수적입니다. 사전에 수립한 KPI를 토대로 목표 대비 성과를 평가하고, 채널별 ROI 등을 따져 개선점을 도출해야 하는데요. 무엇보다 파악된 인사이트와 노하우를 향후 프로모션 전략에 반영하는 선순환 구조를 만드는 게 중요하겠죠.

13.5 디지털/모바일 프로모션 전략

프로모션 전략의 최전선은 단연 디지털/모바일 영역이라 해도 과언이 아닐 것 같습니다. 특히 MZ세대로 불리는 젊은 층 사이에서는 전통적 매체의 영향력이 현저히 낮아진 반면, 유튜브, 인스타그램 등 디지털 플랫폼이 정보 습득과 구매 의사결정의 핵심 채널로 자리잡은 상황인데요.

따라서 디지털/모바일 프로모션 강화는 선택이 아닌 필수가 되고 있습니다. 이를 위해서는 먼저 타겟 고객층의 미디어 이용 행태에 대한 깊이 있는 분석이 선행되어야 할 텐데요. 단순히 매체 노출 정도뿐 아니라, 콘텐츠 선호도, 정보 탐색 및 구매 패턴 등을 종합적으로 들여다볼 필요가 있습니다.

이를 토대로 각 디지털 플랫폼의 특성을 고려한 맞춤형 콘텐츠를 제작, 적시 적소에 노출시키는 전략을 구사해야 합니다. 일방적 메시지 전달이 아닌, 고객 참여와 상호작용을 유도하는 쌍방향 소통에 무게중심을 둬야 하는 것도 잊지 말아야 할 포인트겠죠.

더불어 빅데이터 분석 기술을 접목시켜 개인 맞춤형 프로모션을 실행하는 것도 주목할 만한 트렌드입니다. 고객 개개인의 관심사, 구매 이력 등을 AI 알고리즘으로 분석하여, 최적의 프로모션 메시지와 상품을 추천해주는 식이죠. 이를 위해 DMP(Data Management Platform) 등 데이터 기반 마케팅 인프라 구축에도 투자를 아끼지 말아야 할 것 같습니다.

13.6 프로모션 전략 수립 시 유의사항

이렇듯 통합적이고 혁신적인 프로모션 전략을 수립함에 있어 몇 가지 주의해야 할

점이 있는데요.

첫째, 경쟁사의 프로모션 활동에 대해서도 예의주시해야 한다는 점입니다. 특히 업계 리더 브랜드의 행보에 촉각을 곤두세워야 하는데요. 이들의 전략을 면밀히 분석하고 자사만의 차별화 방안을 모색하는 전략적 대응력이 필요할 것 같습니다.

둘째, 일회성 행사성 프로모션은 지양해야 한다는 점도 잊지 말아야 할 것 같습니다. 당장의 판매 실적에 연연하다 보면브랜드의 장기적 가치에 오히려 악영향을 끼칠 수 있거든요. 대신 브랜드 철학과 아이덴티티를 견고히 하는 방향으로 프로모션을 기획하는 것이 바람직해 보입니다.

셋째, 크리에이티브의 일관성 유지도 간과해서는 안 될 것 같네요. 유행을 좇는 듯한 즉흥적 메시지 개발은 브랜드 정체성에 혼선을 줄 수 있기 때문인데요. 변화하는 트렌드 속에서도 브랜드 본연의 목소리를 잃지 않는 것, 그것이 진정한 크리에이티브의 힘이 아닐까 싶습니다.

마지막으로 고객 피드백과 시장 변화에 귀 기울이는 민첩한 대응 체계를 갖추는 것도 중요해 보이는데요. 프로모션 캠페인에 대한 반응을 실시간으로 모니터링하고, 환경 변화에 맞게 유연하게 전략을 수정 보완해 나가는 유연성이 요구되는 시점이라고 할 수 있겠습니다.

13.7 프로모션 성공 사례

그간 많은 기업들이 창의적이고 혁신적인 프로모션 전략을 통해 괄목할 만한 성과를 거둬왔는데요. 나이키의 사례를 먼저 들여다보겠습니다.

나이키는 인기 스포츠 스타들과의 협업을 통해 브랜드 아이덴티티를 강화하는 한편, 그들의 팬덤을 브랜드 팬덤으로 전환시키는 인플루언서 마케팅의 교과서적 사례로 평가받습니다. 단순 PPL이 아닌 선수들의 철학과 가치관을 브랜드 스토리에 녹여내는 방식으로 그들의 영향력을 나이키 브랜드 자산으로 연결시키고 있는 것이죠.

애플의 프로모션은 일관된 브랜드 경험 제공이라는 측면에서 주목할 만 합니다. 단순히 신제품의 기능적 우수성을 광고하는 데 그치지 않고, 매장 내 경험은 물론 포장, 사용자 가이드 등 브랜드 접점 전반에 세련되고 감각적인 디자인 언어를 일관되게 녹여내고 있거든요. 그야말로 토털 브랜드 경험이 프로모션으로 구현된 셈인데요. 특히 제품 런칭 시마다 글로벌 팬들의 자발적 입소문을 유도하는 방식은 애플 브랜드 특유의 열광적 지지 문화를 잘 보여준다 하겠습니다.

국내 사례로는 스타벅스의 SNS 프로모션을 빼놓을 수 없을 것 같네요. 특히 '서머 레디백' 캠페인은 인스타그램을 활용한 고객 참여형 프로모션의 성공 모델로 회자되곤 하는데요. 매년 여름 한정판으로 출시되는 상품 '서머 레디백'의 사진을 개인 SNS에 올리면 추첨을 통해 경품을 제공하는 방식인데요. 캠페인 기간 중 3만 건 이상의 고객 게시물이 업로드되는 등 엄청난 바이럴 효과를 거뒀다고 합니다. 브랜드 인지도 제고와 함께 신제품 홍보, 나아가 잠재 고객 데이터베이스 확보까지, 일석삼조의 성과를 거둔 프로모션 사례라 할 만 하겠죠.

지금까지 프로모션 전략의 의의와 구성 요소, 수립 과정과 유의사항, 그리고 성공 사례 등에 대해 살펴보았습니다. 급변하는 미디어 환경과 고객 트렌드 속에서 창의적이고 통합적인 프로모션 역량이 그 어느 때보다 중요해졌다는 사실을 확인할 수 있었는데요.

단순한 '촉진' 차원을 넘어 브랜드 자산을 제고하고 고객과의 유대를 강화하는 전략적 수단으로서 프로모션의 가치에 주목해야 할 때라는 생각이 듭니다. 이를 위해서는 무엇보다 프로모션 기획 과정 전반에 걸친 통합적 사고, 고객 중심적 인사이트,

그리고 크리에이티브에 대한 과감한 투자가 뒷받침되어야 할 것 같습니다.

그리고 프로모션의 진정한 힘은 단발성 캠페인이나 화려한 이벤트가 아닌, 고객의 일상 속에서 꾸준히 브랜드 경험을 선사하는 데서 비롯된다는 사실 또한 잊어서는 안 되겠죠. 고객과 브랜드 간 끊임없는 대화, 그 속에서 형성되는 공감과 신뢰. 결국 그것이야말로 창의적 프로모션 아이디어의 영감이 되고 브랜드 충성도로 귀결되는 선순환의 원천이 될 것입니다.

브랜드 자산 제고라는 숭고한 목표, 하지만 고객과의 일상적 접점이라는 현실적 과제. 그 두 축을 균형 있게 지탱하는 프로모션 전략을 고민하는 일, 어쩌면 마케터에게 주어진 가장 아름답고도 어려운 숙제가 아닐까요? 눈앞의 유혹에 흔들리지 않고 본질에 충실한 브랜드만이 고객의 선택을 받을 자격이 있습니다. 우리 모두 그 길을 향해 오늘도 한 걸음 내딛습니다.

마케팅 더보기

프로모션 KPI(Key Performance Indicator)를 설정할 때에는 해당 프로모션의 목적과 특성을 고려하여 가장 적합한 지표를 선정하는 것이 중요합니다. 일반적으로 고려할 수 있는 KPI는 다음과 같습니다.

1. 매출 및 수익 관련 지표

- 프로모션 기간 중 총 매출액

- 프로모션 상품/서비스의 판매량 또는 판매 증가율

- 프로모션으로 인한 매출 증분(Incremental Sales)

- ROI(투자수익률) 또는 ROAS(광고지출수익률)

2. 고객 반응 및 인게이지먼트 지표

- 프로모션 참여 고객 수 또는 참여율

- 사이트 트래픽, 페이지 뷰, 체류 시간 등 온라인 지표

- 쿠폰/할인코드 사용률, 앱 다운로드 수 등 프로모션 메커니즘별 반응률

- 소셜미디어 반응(좋아요, 댓글, 공유 등) 및 바이럴 지수

3. 브랜드 인지도 및 이미지 관련 지표

- 브랜드 인지도 변화 추이

- 브랜드 선호도 및 추천 의향 변화

- 브랜드 연상 이미지 및 핵심 속성 평가

4. 고객 구매 행동 관련 지표

- 신규 고객 유치 수 및 비율

- 기존 고객의 재구매율 및 구매 빈도

- 고객 1인당 구매액(객단가) 변화

- 장바구니 전환율, 구매 완료율 등 구매 퍼널 단계별 전환율

5. 캠페인 운영 효율성 지표

- 캠페인 예산 대비 성과(CPA, CPL 등)

- 채널 및 광고 소재별 성과 비교

- 캠페인 일정 및 태스크 준수율

이 외에도 프로모션의 목적에 따라 고객 만족도, 멤버십 가입률, 상품 재고 회전율 등 다양한 지표를 KPI로 설정할 수 있습니다. 중요한 것은 프로모션의 궁극적 목표에 부합하는 지표를 선택하고, 이를 일관되고 지속적으로 추적 관리하는 것입니다.

아울러 KPI 간 우선순위를 명확히 하고 각 지표별 목표치를 구체적으로 설정하는 것도 중요한데요. 사전에 관련 부서 간 합의를 통해 KPI 체계를 수립하고 이를 구성원들과 명확히 공유하는 과정이 필요할 것 같습니다.

나아가 KPI 분석 결과를 단순히 프로모션 종료 시점에 한 번 리뷰하는 것이 아니라, 캠페인 전개 과정 중에도 상시 모니터링하며 운영 방식을 최적화 해나가는 노력도 병행되어야 하겠죠. 데이터 기반의 의사결정을 통해 프로모션의 효과성을 제고하고, 궁극적으로는 마케팅 ROI를 극대화하기 위한 지속적인 고민이 요구되는 대목이라 하겠습니다.

OPEN AI 더보기

프로모션 전략은 제품이나 서비스를 시장에 알리고 판매를 촉진하기 위한 중요한 마케팅 활동입니다. 효과적인 프로모션을 설계하고 실행하기 위한 프롬프트는 다음과 같습니다.

1. 프로모션 목표 설정.

- "이번 프로모션의 주요 목표는 무엇인가요? (예. 브랜드 인지도 향상, 신제품 출시, 매출 증대)"

- "달성하고자 하는 구체적인 프로모션 결과는 무엇인가요? (예. 특정 기간 동안의 판매량, 고객 참여도 증가)"

2. 타겟 고객 식별.

- "이 프로모션을 통해 주로 타겟팅하고자 하는 고객 그룹은 누구인가요?"

- "타겟 고객의 특성과 선호도는 프로모션 전략에 어떻게 반영되어야 하나요?"

3. 프로모션 채널 선택.

- "어떤 마케팅 채널을 사용하여 프로모션을 진행할 계획인가요? (예. 소셜 미디

어, 이메일, 오프라인 이벤트)”

- “선택한 채널이 타겟 고객에게 도달하는 데 어떤 장점을 가지고 있나요?”

4. 프로모션 메시지 및 컨텐츠.

- “프로모션 메시지는 어떻게 구성할 것인가요? 고객에게 어떤 가치를 전달할 것인가요?”

- “이 프로모션을 위해 특별히 제작할 창의적인 컨텐츠나 광고가 있나요?”

5. 예산 및 자원 계획.

- “이번 프로모션에 할당할 예산은 얼마인가요? 비용 대비 효과를 최대화하기 위한 전략은 무엇인가요?”

- “프로모션을 지원할 내부 자원과 외부 파트너는 누구인가요?”

6. 성과 측정 및 평가.

- “프로모션의 성공을 어떻게 측정할 것인가요? 사용할 주요 성과 지표(KPIs)는 무엇인가요?”

- “프로모션 종료 후, 결과를 어떻게 분석하고 다음 전략에 어떻게 반영할 계획인

가요?"

이러한 프롬프트를 활용하여 프로모션 전략을 체계적으로 계획하고 실행하면, 목표 달성에 필요한 구체적인 방향을 제시하고, 예상되는 결과를 더욱 명확히 할 수 있습니다. 프로모션은 효과적인 마케팅 커뮤니케이션과 고객 참여를 유도하여 비즈니스 성장을 가속화하는 데 큰 도움이 됩니다.

“효과적인 프로모션은 고객의 니즈를 정확히 파악하고,

그에 맞는 메시지를 전달하는 것에서 시작된다.”

필립 코틀러

제5부 사업 계획 및 운영

제5부 사업 계획 및 운영

사업 모델 수립

14.1 사업 모델의 개념과 구성 요소

사업 모델이란 기업이 어떤 방식으로 고객에게 가치를 전달하고 수익을 창출하는지를 나타내는 개념적 틀을 말합니다. 제품이나 서비스가 '무엇'에 해당한다면 사업 모델은 '어떻게'에 대한 것이라고 할 수 있는데요. 단순히 상품을 개발하고 판매하는 차원을 넘어, 고객에게 차별적 가치를 제안하는 동시에 지속 가능한 수익 구조를 만들어내는 것이 사업 모델의 궁극적 역할이라 하겠습니다.

사업 모델의 구성 요소로는 가치 제안, 고객 세그먼트, 채널, 고객 관계, 수익원, 핵심 자원, 핵심 활동, 핵심 파트너십, 비용 구조 등을 꼽을 수 있습니다. 이들 요소는 유기적으로 맞물려 작동하며 기업의 경쟁 우위를 창출하는 토대가 되는데요. 때론 개별 요소의 혁신만으로도 게임의 판도를 바꿀 수 있지만, 장기적으로는 구성 요소 간 시너지를 극대화하는 통합적 접근이 요구된다 하겠습니다.

14.2 사업 모델 설계 프로세스

그렇다면 어떤 프로세스를 통해 사업 모델을 설계해 나가야 할까요? 우선 철저한 고객 분석이 선행되어야 할 것 같습니다. 문제-솔루션 인터뷰나 잠재 고객 발굴 등을 통해 고객의 니즈와 Pain point를 깊이 있게 파악하고, 나아가 기존 솔루션의 한계와 개선 기회를 포착하는 것이 출발점이 되겠죠.

이를 토대로 경쟁 제품 대비 차별화된 가치 제안을 도출하는 것이 다음 단계가 될 텐데요. 유사 아이디어들을 나열해보고 우선순위를 정하는 한편, 최소 기능 제품(MVP)을 정의하여 핵심 가치에 방점을 두는 것이 중요합니다.

가치 제안이 구체화되면 이를 전달할 고객 세그먼트와 채널을 선정하게 되는데요. 페르소나 등을 활용해 목표 고객층의 특성을 명확히 하고, 각 세그먼트에 최적화된 채널 조합과 고객 접점 전략을 수립하는 것이 관건이 되겠죠.

아울러 사업 모델의 실현 가능성을 판단하기 위해서는 예상 수익원과 비용 구조에 대한 면밀한 분석 작업도 필수적입니다. 단기/중장기적 관점에서 예상 매출과 지출 규모를 산정하고, 손익분기점에 대한 시나리오를 그려보는 것이 유용할 것 같네요.

한편 가치 제안을 뒷받침하기 위한 내부 역량 점검 및 확보 방안도 모색해야 하는데요. 인적/물적 자원과 핵심 활동을 정의하고 프로세스 측면에서의 경쟁 우위 요소를 고민하는 것이 중요합니다.

끝으로 사업 운영에 필요한 외부 파트너십 전략을 수립할 차례겠죠. 협력이 필요한 이해관계자를 식별하고 win-win 관계 구축을 위한 파트너십 모델과 거버넌스 체계를 고안해야 할 것입니다.

14.3 사업 모델 혁신 방법론

이렇게 다양한 구성 요소가 얽혀 있는 사업 모델을 분석하고 혁신하기 위해 활용할 수 있는 다양한 방법론들이 있는데요. 그 대표적인 것이 바로 '사업 모델 캔버스(Business Model Canvas)'라 할 수 있겠습니다.

사업 모델 캔버스는 9개 구성 요소를 한 장의 도화지에 담아내 사업 모델을 직관적으로 시각화하는 프레임워크인데요. 구성 요소 간 상호 연관성을 파악하고 가설을 수립하는 데 유용하게 활용될 수 있습니다.

'린 캔버스(Lean Canvas)' 역시 유사한 개념의 방법론이라 할 수 있는데요. 기존 캔버스의 요소에 더해 문제, 솔루션, 고유 가치 제안 등 린 스타트업 방식의 핵심 개념을 적용한 것이 특징입니다. 불확실성이 높은 초기 단계의 스타트업들에게 특히 유용할 것으로 보입니다.

아울러 '가치 제안 캔버스(Value Proposition Canvas)'는 고객의 니즈와 기업의 가치 제안 간 Fit을 평가하는 데 특화된 프레임워크라 할 수 있는데요. 제품/서비스의 Gain Creator와 Pain Reliever 관점에서 고객 가치를 분석하고 개선 아이디어를 모색하는 데 활용성이 높습니다.

한편 최근 각광받고 있는 플랫폼 비즈니스 모델 설계에도 주목할 필요가 있어 보입니다. 다면 시장 기반의 플랫폼 사업은 기존의 파이프라인형 비즈니스와는 확연히 다른 접근법을 요구하는데요. 공급자와 소비자 간 활발한 상호작용을 유도하고 네트워크 효과를 극대화하는 전략이 관건이 되겠죠.

14.4 사업 모델 검증 및 피봇

이렇게 논리적으로 치밀하게 설계한 사업 모델이라 하더라도 실제 시장에서의 반응을 점검하고 지속 개선해 나가는 과정이 반드시 필요한데요. 이를 위해서는 사업 모델 가설을 설정하고 MVP를 통해 검증해 나가는 것이 유용합니다.

특히 에릭 리스가 제시한 린 스타트업 방식의 Build-Measure-Learn 사이클을 반복하며 고객 피드백을 반영해 나가는 것이 중요한데요. 피봇(Pivoting)이라 불리는 사업 모델의 신속한 방향 전환 역시 민첩하게 수행할 수 있는 유연성이 요구되는 대목이라 하겠습니다.

14.5 사업 모델 혁신 사례

많은 기업들의 성공 사례에서 볼 수 있듯 차별화된 사업 모델의 발굴과 혁신은 새로운 시장 기회를 열어젖히는 열쇠가 되어 왔습니다. 전통적 소유 중심에서 사용 중심으로 가치가 이동하면서 부상한 구독 경제 모델이 그 대표적 예인데요. 소프트웨어에서 콘텐츠, 심지어 자동차에 이르기까지 다양한 산업으로 확산되고 있는 추세입니다.

이면시장 모델 역시 혁신적 사업 모델의 사례로 꼽힙니다. 검색 엔진 사용자와 검색 광고주, 신용카드 가맹점과 회원 등 상호보완적인 고객군 간 가치 교환을 통해 수익을 창출하는 비즈니스 로직인데요. 각 이면시장의 특성을 고려한 전략적 운영이 경쟁력의 원천이 되고 있죠.

나아가 온라인과 오프라인의 경계를 넘나드는 O2O(Online to Offline) 비즈니스 모델의 진화도 눈여겨볼 필요가 있습니다. 디지털 기술을 기반으로 오프라인에서의 고객 경험을 획기적으로 개선하려는 시도들이 활발한데요. 이종 산업 간 융복합을 통한 새로운 가치 창출이 기대되는 영역이라 하겠습니다.

14.6 성공적 사업 모델 구축을 위한 제언

지금까지 살펴본 바와 같이 사업 모델 혁신은 기업 경쟁력의 핵심 요소로 자리매김하고 있는데요. 창업 기업이 성공적인 사업 모델을 구축하기 위해서는 몇 가지 사항에 주목할 필요가 있어 보입니다.

무엇보다 고객 중심적 사고와 가치 창출에 대한 집착이 돋보이는 기업들이 시장에서 두각을 나타내곤 합니다. 단순히 제품의 기능적 우수성을 앞세우기보다 고객의 잠재된 니즈를 발굴하고 이를 해결하려는 자세가 사업 모델 혁신의 원동력이 된다는 점, 잊지 말아야 할 것 같습니다.

아울러 급변하는 시장 환경에 기민하게 대응하기 위해서는 빠른 의사결정과 실행이 가능한 조직 문화 역시 필수적이겠죠. 창업 초기 단계야말로 관성에 젖지 않고 유연한 사고로 과감한 혁신을 추진해 나가기에 적합한 시기라는 점에서, 개방적이고 수평적인 소통을 통해 구성원들의 창의성을 최대한 이끌어내는 것이 중요해 보입니다.

나아가 '실험하고, 측정하고, 학습하라(Build-Measure-Learn)'는 린 스타트업 정신을 사업 모델 혁신 과정 전반에 녹여내려는 노력도 요구됩니다. 고객의 피드백에 귀 기울이며 가설을 검증하고 방향을 수정해 나가는 민첩함. 그것이 불확실성이 상존하는 창업 환경에서 사업 모델의 신속한 고도화를 가능케 하는 성공 요인이 아닐까 싶습니다.

과거 모방과 추격으로 대표되던 Fast Follower의 시대는 지나가고, 새로운 기회를 포착하고 시장을 선도하는 First Mover의 역할이 그 어느 때보다 중요해진 지금. 창의적 사업 모델의 발굴과 혁신은 선택이 아닌 필수가 되고 있습니다. 그러나 이는 우리에게 기회이기도 합니다. 과감한 도전 정신으로 새로운 고객 가치를 만들어 내고, 그 과정에서 시행착오를 겪더라도 배움의 자세로 긍정의 힘을 이어간다면 머지않아 글로벌 시장을 선도하는 First Mover로 우뚝 설 수 있으리라 확신합니다.

고객을 위한 차별적 가치 제안, 그리고 회사의 지속 성장을 뒷받침하는 수익 모델. 두 마리 토끼를 잡기 위한 사업 모델 혁신의 여정에 우리 모두 함께 나섭시다. 가보지 않은 길을 개척하는 창업가 정신으로, 또 시시각각 변화하는 시장의 메시지에 민감하게 반응하는 린한 조직 문화로 말이죠. 불가능을 가능케 하는 그 놀라운 상상력의 출발점에 우리가 서 있습니다. 이제 그 상상을 현실로 만들어갈 차례겠죠.

OPEN AI 더보기

사업 모델을 수립하는 과정은 사업의 기본 구조와 운영 방식을 정립하는 중요한 단계입니다. 사업 모델을 체계적으로 계획하고 평가하기 위한 유용한 프롬프트는 다음과 같습니다.

1. 가치 제안 정의.

- "내 사업이 고객에게 제공하는 주요 가치는 무엇인가요?"

- "이 가치 제안이 경쟁사와 어떻게 차별화되나요?"

2. 고객 세그먼트 식별.

- “내 제품이나 서비스의 주요 타겟 고객은 누구인가요?”

- “이들 고객의 특성과 필요는 구체적으로 어떠한가요?”

3. 수익원 파악.

- “사업 모델에서 수익을 생성하는 주요 경로는 무엇인가요?”

- “다양한 수익 스트림을 어떻게 통합하거나 최적화할 수 있나요?”

4. 주요 비즈니스 활동.

- “핵심 제품이나 서비스를 제공하기 위해 필수적인 비즈니스 활동은 무엇인가요?”

- “이러한 활동을 효율적으로 수행하기 위한 자원과 기술은 무엇인가요?”

5. 자원과 파트너십.

- “사업 운영에 필요한 핵심 자원은 무엇인가요?”

- “어떤 외부 파트너와 협력해야 사업 실행이 원활해지나요?”

6. 고객 관계 관리.

- "고객과의 관계를 어떻게 관리하고 유지할 것인가요?"

- "고객 참여를 증진시키기 위한 전략은 무엇인가요?"

7. 유통 채널 설정.

- "제품이나 서비스를 고객에게 전달하는 가장 효과적인 방법은 무엇인가요?"

- "이 유통 채널이 사업 모델과 어떻게 조화를 이루나요?"

8. 비용 구조 분석.

- "사업 운영에 따른 주요 비용은 무엇인가요?"

- "이 비용을 효율적으로 관리하고 최소화할 방법은 무엇인가요?"

이러한 프롬프트를 통해 사업 모델의 각 요소를 깊이 있게 고민하고, 사업의 전반적인 구조와 전략을 체계적으로 설계할 수 있습니다. 명확한 사업 모델은 비즈니스의 지속 가능성과 성장 가능성을 크게 높일 수 있습니다.

"사업 모델은 단순히 돈을 버는 방법이 아니라,

고객의 삶을 변화시키는 방법이 되어야 한다."

팀 브라운

상권 및 입지 선정

15.1 상권 분석의 중요성

창업을 준비하는 과정에서 가장 중요한 의사결정 중 하나가 바로 점포 입지 선정이라 해도 과언이 아닐 것입니다. 아무리 훌륭한 제품과 서비스를 갖추고 있어도, 그것을 필요로 하는 고객들의 발길이 닿지 않는 곳이라면 사업 성공을 기대하기 어렵기 때문인데요. 따라서 점포의 성패를 좌우할 상권과 입지에 대한 면밀한 분석이 선행되어야 합니다.

상권 분석이란 점포가 위치할 지역에 대한 상업적 잠재력을 다각도로 평가하는 작업을 의미하는데요. 이를 통해 예상 매출과 수익성을 가늠해 볼 수 있고, 나아가 사업 타당성을 종합적으로 판단할 수 있게 됩니다. 임대료, 권리금 등의 비용 부담을 고려했을 때 수익 창출이 가능한지, 경쟁력 있는 가격 대비 품질 서비스 제공이 가능한지 등을 객관적으로 분석하는 것이죠.

흔히들 좋은 상권을 선점하는 것만으로도 사업의 반은 성공했다고 말합니다. 그만큼 까다로운 조건의 입지라 하더라도 핵심 상권 내에 자리한 점포라면 꾸준한 수요를 기대할 수 있기 때문인데요. 역으로 침체된 상권의 경우 파격적인 마케팅과 특별한 경쟁력이 뒷받침되지 않는 한 고전을 면치 못하게 됩니다. 상권이 지닌 이 같은 위력을 감안할 때 예비 창업자라면 사전에 철저한 상권 및 입지 분석을 통해 사업 리스크를 최소화하는 지혜가 필요할 것입니다.

15.2 상권의 개념과 유형

15.2.1 상권의 정의

그렇다면 상권이란 구체적으로 무엇을 의미할까요? 상권의 사전적 정의는 '상업 활동이 이루어지는 일정한 지역'을 뜻하는데요. 점포를 기준으로 고객들이 방문하는 지리적 범위를 일컫는다고 보시면 됩니다. 상권의 크기와 범위는 업종의 특성, 점포의 규모, 교통 여건 등에 따라 달라질 수 있습니다.

일반적으로 편의점 같은 소형 점포의 경우 반경 500미터 내외의 좁은 상권을, 대형마트나 백화점은 차로 20~30분 거리의 광역 상권을 대상으로 하는데요. 이처럼 상권의 범위와 영향력은 상대적이지만, 점포 매출에 직접적 영향을 미친다는 점에서 그 중요성은 보편적이라 할 수 있겠습니다.

15.2.2 상권의 종류

상권은 형성 배경이나 특성에 따라 크게 몇 가지 유형으로 구분할 수 있는데요. 먼저 도심이나 부도심, 재래시장 등을 중심으로 유동인구가 집중되는 지역을 '중심 상권'이라고 합니다. branded 점포나 유명 프랜차이즈가 입점하기에 유리한 조건을 갖추고 있지만, 경쟁이 치열하고 임대료 부담이 높다는 단점도 있습니다.

주거 단지, 특히 대규모 아파트 단지를 배후에 둔 '주거 상권' 역시 안정적 수요를 기대할 수 있는 유형인데요. 식료품이나 생활 서비스업 등 일상적 수요를 충족시키는 업종의 경우 이 같은 주거 상권을 선호하는 편입니다. 다만 상권의 특성상 주중 낮 시간대 매출이 집중되는 경향이 있고, 지역 주민들의 라이프 스타일 변화에 민감하게 반응할 수밖에 없다는 점도 염두에 둘 필요가 있습니다.

이밖에도 지하철역이나 버스 터미널 등 유동인구가 많은 교통 결절점을 중심으로 형성된 '역세권', 학원가나 학교 주변에 밀집한 '학원가 상권', 놀이공원이나 해수욕장 등 관광지 인근의 '관광 상권' 등 상권 유형도 다양합니다. 각 상권이 지닌 입지적 특성과 소비 성향이 다른 만큼 창업 아이템의 성격에 걸맞은 상권을 선택하는 안목이 요구되는 대목이라 할 수 있겠습니다.

15.3 상권 조사 및 분석 방법

15.3.1 인구 통계적 특성 분석

본격적인 상권 분석에 앞서 가장 먼저 살펴봐야 할 것은 해당 지역의 인구 통계적 특성일 것입니다. 상권 내 거주 인구 규모와 더불어 성별, 연령별 구성비, 학력 수준, 직업군 등 인구 속성을 면밀히 파악하는 것이 중요한데요. 이는 창업 아이템의 목표 고객층을 고려했을 때 잠재 수요를 가늠하는 기초 작업이 될 것입니다.

나아가 유동 인구나 주간/야간 인구 비율 등도 반드시 확인해야 할 부분입니다. 상주 인구는 적지만 대규모 오피스 타운으로 인해 낮 시간대 유동 인구가 많은 지역이라면 약간의 시각 차를 둔 판단이 필요할 테니까요. 이 같은 인구 특성에 관한 정보는 통계청이나 지자체 공식 자료를 통해 비교적 쉽게 확인할 수 있으니 적극 활용해 보시기 바랍니다.

15.3.2 경제적 특성 분석

인구 특성과 함께 지역의 경제적 여건을 가늠해 보는 것도 중요한 분석 포인트입니다. 지역 내 중심 산업이 무엇인지, 사업체 수나 종사자 규모, 고용 동향은 어떠한지 살펴봄으로써 상권 경기를 진단해 볼 수 있는데요. 또한 가구당 평균 소득이나 소비 지출 수준, 소비 행태 등도 구매력을 가늠하는 주요 지표가 될 수 있겠습니다.

이밖에도 상권 내 아파트 가격이나 전세 시세 등 부동산 가격 동향도 참고할 만한 정보입니다. 최근 몇 년간의 가격 변동 추이를 보면 해당 상권에 대한 기대감과 인기도를 간접적으로나마 확인할 수 있을 테니까요. 다만 이 같은 경제지표 역시 거시 경제나 정책 변화에 큰 영향을 받을 수 있다는 점도 잊지 말아야 할 것 같습니다.

15.3.3 근접 점포 및 경쟁 상황 분석

상권 분석에서 결코 놓칠 수 없는 부분이 바로 경쟁 상황 파악인데요. 동일 업종이나 유사 아이템을 취급하는 점포가 몇 개나 있는지, 그들의 매출 규모와 운영 방식, 강점과 약점은 무엇인지 체계적으로 조사할 필요가 있습니다. 필요하다면 주요 경쟁 점포를 직접 방문하여 가격이나 품질, 서비스 수준 등을 꼼꼼히 체크해 보는 것도 좋겠죠.

이는 향후 점포의 차별화 전략을 수립하는 데 있어 소중한 인사이트를 제공할 수 있습니다. 경쟁이 치열한 상권 내에서 살아남기 위한 나만의 경쟁력을 고민하게 되는 계기가 될 테니까요. 아울러 신규 경쟁 업체의 진입 가능성 역시 선제적으로 점검해 볼 필요가 있을 것 같네요. 유사 컨셉의 브랜드가 입점할 경우 어떤 영향을 받을지, 그에 대한 대응 전략은 무엇일지 치밀하게 고민해 보아야 할 것입니다.

15.3.4 기타 입지적 특성 분석

마지막으로 점포 입지가 갖는 개별적 특성도 꼼꼼히 체크해야 합니다. 무엇보다 접근성과 주차 편의성은 고객 유치에 직결되는 주요 요인인데요. 주요 도로에서의 거리, 대중교통과의 연계성, 주차 공간 확보 여부 등을 확인하는 것이 중요합니다. 주 고객층의 연령대나 이용 수단을 고려했을 때 최적의 입지 조건을 갖추고 있는지 냉철히 판단해 볼 일이겠죠.

또한 건물의 외관이나 내부 인테리어, 공간 활용도 등도 세심히 살펴볼 부분입니다. 쾌적하고 정돈된 이미지가 고객의 첫인상을 좌우할 수 있는 만큼, 노후 건물의 경우 리모델링 비용까지 고려해야 할 것 같습니다. 아울러 간판이나 외부 광고물의 설치 가능 여부, 도로에서의 시야 확보 정도 등 점포의 가시성도 체크 포인트가 되겠네요.

이밖에도 상권이 위치한 구역의 장기 발전 계획이나 재개발 예정 지역 여부 등도 확인이 필요합니다. 지자체의 도시 계획이나 개발 사업 계획 등을 면밀히 살펴 상권의 미래 가능성을 예측해 볼 필요가 있는데요. 신도시 건설이나 역세권 개발, 대형 쇼핑몰 입점 등 대규모 변화 요인이 있을 경우 상권에 긍정 or 부정적 영향을 미칠 수 있기 때문입니다.

15.4 입지 선정 프로세스

이상의 다양한 분석 포인트를 망라하여 객관적이고 전략적인 입지 선정 작업을 진행해야 하는데요. 일반적으로 ① 후보 상권 및 입지 선정 →② 입지 현장 조사 및 평가 → ③ 최종 입지 선정 및 계약의 3단계 프로세스를 거치게 됩니다.

15.4.1 후보 상권 및 입지 선정

먼저 자신의 사업 구상과 목표 고객층에 부합하는 상권을 복수로 선정하는 것이 출발점이 되겠죠. 업종 특성상 유동인구가 많은 곳이 유리한지, 특정 소비층이 밀집한 주거 상권이 적합한지 등을 면밀히 검토해야 합니다. 또한 앞서 언급한 인구통계적/경제적 특성, 경쟁 상황 등을 두루 감안하여 후보 상권 리스트를 압축해 나가야 할 것인데요.

이후 개별 후보 상권 내에서도 접근성, 가시성, 임대 조건 등을 꼼꼼히 비교 평가하여 최종 후보 입지를 3~5개 내외로 추려내는 것이 좋겠습니다. 이 과정에서 전문 부동산 중개인의 조언을 구하는 것도 현명한 방법이 될 수 있어요. 실제 운영 사례나 계약 조건 등 생생한 인사이트를 들을 수 있을 테니까요.

15.4.2 입지 현장 조사 및 평가

후보 입지가 선정되면 직접 발로 뛰며 구체적인 현장 조사에 나서야 합니다. 체크리스트를 만들어 주변 환경, 건물 상태, 인테리어 등 세부 조건을 꼼꼼히 평가하는 것이 중요한데요. 특히 주요 고객층의 관점에서 바라보며 입지의 장단점을 객관화하는 노력이 필요할 것 같아요. 자칫 주관적 선호에 휩쓸려 합리적 판단을 그르칠 수 있기 때문이죠.

현장 조사 결과와 임대 조건 등을 바탕으로 예상 매출액을 추정하고 손익분기점 분석까지 시도해 보는 것도 좋겠네요. 창업 초기 자금 상황을 고려했을 때 어느 정도의 매출이 필요한지, 그것이 현실적으로 가능한지를 냉정하게 따져 보아야 할 것입니다. 때로는 매력적인 입지라도 감당하기 어려운 리스크가 있음을 자각하고 과감히 포기할 수 있는 결단력도 필요할 거예요.

15.4.3 최종 입지 선정 및 계약

현장 평가 결과를 토대로 후보 입지를 다각도로 비교 검토한 후, 최종 입지를 결정하게 됩니다. 창업자의 경험과 직관을 발휘할 때이기도 하지만, 감정에 치우치지 않도록 이성적 판단력을 잃지 말아야 하는 중요한 순간이기도 한데요.

일단 입지가 결정되면 건물주와의 협상이 본격화됩니다. 보증금, 임대료, 임대 기간 등 계약 조건을 꼼꼼히 따져 최대한 유리한 조건을 이끌어내는 것이 관건인데요. 장기 계약에 따른 인상률 제한이나 인테리어 비용 부담 주체 등 세부 조항까지 꼼꼼히 체크해야 할 것입니다. 필요하다면 상권 분석 전문가나 법률 자문을 통해 리스크를 최소화하는 지혜도 발휘해야겠죠.

15.5 상권 및 입지 선정 시 유의사항

자, 지금까지 입지 선정을 위한 상권 분석 방법과 프로세스를 살펴보았는데요. 이 과정에서 창업자들이 특히 주의해야 할 점을 몇 가지 짚어보겠습니다.

먼저 사업 아이템의 특성에 맞는 상권과 입지를 고르는 것이 무엇보다 중요합니다. 식음료업의 경우 유동인구와 주거인구가 조화를 이루는 역세권이 적합할 수 있고, 학원은 학생 수요가 많은 학원가 상권이 유리할 수 있겠죠. 경쟁이 치열한 핫 플레이스를 선호할 것인지, 독점적 위치의 틈새 상권이 나은지 등 전략적으로 접근할 필요가 있습니다.

이를 위해서는 다양한 정보 채널을 통해 수집한 객관적 데이터에 기반해 의사결정을 내리는 것이 중요합니다. 행정 기관의 공식 통계는 물론 전문 리서치 기관의 상권 분석 리포트, 지역 커뮤니티와 상인회를 통한 현장 정보 등을 두루 활용하는 적극성이 필요할 거예요. 주관적 판단을 최소화하고 냉철한 분석에 토대해 입지를 평가하려는 의지가 요구되는 대목이기도 합니다.

아울러 목줄 임대료나 권리금 수준, 계약 갱신 조건 등도 종합적으로 고려해야 합니다. 아무리 좋은 상권이라도 감당하기 어려운 비용 부담을 안고 간다면 오래가기 힘들 테니까요. 직접 운영 비용이 들지 않는 권리금이 지나치게 높은 경우라던가, 임대 기간이나 계약 연장 보장 여부 등에 따라 실제 부담이 달라질 수 있음을 명심해야 할 것입니다.

특히 상가 계약 시에는 별도의 철거 비용이나 원상복구 의무 조항도 꼼꼼히 살펴보아야 합니다. 계약 만료 시 고액의 철거 비용을 감당해야 한다면 초기 투자 비용 외에도 상당한 부담으로 작용할 수 있으니까요. 이런 사항들은 건물주와의 협상 과정에서 명확히 조율해 두는 것이 향후 분쟁의 소지를 예방하는 지혜라 하겠습니다.

마지막으로 해당 상권이 지닌 장기적 발전 가능성도 놓치지 말아야 할 것 같아요. 특히 계절적 영향을 많이 받는 상권이라면 성수기와 비수기의 매출 변동성이 얼마나 클지 가늠해 볼 필요가 있고요. 대형 개발 호재로 인한 유동인구 증가 가능성, 경기 변동에 따른 구매력 위축 가능성 등도 중장기적 관점에서 꼼꼼히 체크해야만 합니다. 변화하는 상권의 라이프사이클을 예의주시하며 대비하는 눈썰미, 그것이 바로 지속 가능한 점포 운영의 핵심 역량이 아닐까 싶네요.

15.6 창업 성공을 좌우하는 입지 선정 사례

마지막으로 몇 가지 업종별 입지 선정 포인트를 사례와 함께 언급하며 글을 마무리하고자 합니다.

먼저 1인 창업이나 SOHO족에게 인기 있는 소규모 사무실, 이른바 소호(Small Office/Home Office) 창업의 경우 역세권이나 상업지구 인근 주거 상권이 각광받는 편인데요. 대중교통 접근성이 좋고 저렴한 임대료로 사무실을 구할 수 있다는 게 메리트로 꼽힙니다. 다만 고객과의 미팅이 잦은 업종이라면 찾아오기 쉽고 주차가 용이한 입지가 좋겠죠.

F&B나 프랜차이즈 창업을 준비하신다면 중심 상권이나 신흥 주거 상권에 주목해 보시기 바랍니다. 유동인구가 많고 소비 수준이 높은 핵심 상권의 경우 임대료 부담이 만만치 않지만 브랜드 인지도를 높이기에 최적인데요. 반면 정기적 수요를 기대할 수 있는 대단지 아파트 상권은 저렴한 임대료와 함께 단골 고객을 확보하기에 유리한 것이 장점입니다.

편의점 창업의 경우 오피스 상권이나 역세권이 매력적인 선택이 될 수 있습니다. 바쁜 직장인들의 간단한 식사 해결이나 심야 시간 이용 수요를 겨냥할 수 있기 때문인데요. 최근에는 주거 상권 내 편의점도 꾸준히 증가하는 추세입니다. 반경 500m 내에 경쟁점이 없고 1,500세대 이상의 배후 수요가 있다면 충분히 도전해 볼 만하죠.

학원 창업 시에는 교육 특성을 감안한 입지 선정이 요구됩니다. 입시 학원은 학원가나 학교 인근에, 영유아 대상 학원은 대단지 아파트 상권에 적합할 텐데요. 학부모들이 안심하고 아이를 맡길 수 있는 쾌적하고 안전한 환경인지, 거주 여성들의 접근성이 좋은지 등을 살펴보아야 할 것입니다. 성인 대상 학원의 경우 역세권이나 대학가 주변도 유력한 후보지가 될 수 있을 듯합니다.

이처럼 업종마다 최적의 상권과 입지 조건이 조금씩 다를 수밖에 없는데요. 정답은 없습니다. 다만 본인의 컨셉과 목표 시장에 대한 깊이 있는 이해를 바탕으로, 냉철한 분석과 현명한 판단력을 발휘하는 것이 성공으로 가는 지름길이 되지 않을까요? 입지는 주어진 조건이지만 그곳에서 꽃피우는 것은 결국 사람입니다. 정성을 다해 상권을 분석하되 마음까지 잃지 말기를, 철저히 준비하되 행동으로 옮기는 용기를 잃지 말기를 당부드립니다. 이는 비단 유망 입지를 놓고 경쟁하는 예비 점주님들에게만 국한되는 말은 아닐 거예요. 어떤 위치에 있든 반짝이는 보석이 되어 세상을 환히 비출 창업가 정신, 우리 모두 그 열정의 불씨를 잃지 말자고요. 그 불꽃이 어우러진 거리, 바로 그곳이 최고의 상권이 될 테니까요.

OPEN AI 더보기

상권 및 입지 선정은 비즈니스의 성공에 매우 중요한 요소입니다. 적절한 위치는 고객 접근성, 가시성 및 수익성에 큰 영향을 미칠 수 있습니다. 다음은 상권 및 입지 선정을 위한 유용한 프롬프트입니다.

1. 시장 분석 및 고객 인구 통계.

- “이 지역의 주요 인구 통계는 어떻게 되나요? (예. 연령대, 소득 수준, 가구 유형)”

- “타겟 고객이 이 지역에 얼마나 많이 존재하나요? 그들의 쇼핑 습관은 어떠한가요?”

2. 경쟁 및 시장 포화도 분석.

- “선택한 위치 주변에 있는 주요 경쟁자는 누구인가요?”

- “이 지역의 시장 포화도는 어떻게 되나요? 시장에서 성공할 수 있는 공간이 남아있나요?”

3. 교통 접근성 및 가시성.

- “이 위치는 얼마나 쉽게 접근할 수 있나요? 주요 도로나 대중 교통 노선은 가까이 있나요?”

- “가게의 가시성은 어떠한가요? 사람들이 쉽게 볼 수 있는 위치에 있나요?”

4. 임대료 및 운영 비용.

- “이 위치의 임대료는 얼마인가요? 예상되는 운영 비용과 함께 예산 범위 내에

있나요?"

- "임대 조건은 유연한가요? 장기 계약에 따른 이점은 무엇인가요?"

5. 지역 규제 및 법적 요건.

- "이 지역의 비즈니스 운영에 적용되는 특별한 규제가 있나요? (예. 영업 시간 제한, 특정 라이센스 요구)"

- "비즈니스를 시작하기 전에 충족해야 할 지역적인 법적 요건은 무엇인가요?"

6. 시장의 성장 잠재력.

- "이 지역의 경제 발전 계획은 어떠한가요? 미래에 어떤 변화가 예상되나요?"

- "지역 개발 계획이 내 비즈니스에 어떤 영향을 미칠 수 있나요?"

이러한 프롬프트를 통해 상권과 입지 선정 시 고려해야 할 다양한 요소들을 체계적으로 분석할 수 있습니다. 위치 선택은 단순히 비즈니스를 시작하는 장소를 결정하는 것이 아니라, 사업의 장기적 성공에 결정적인 영향을 미치므로 신중하게 접근해야 합니다.

창업 법률 및 제도

16.1 창업 관련 주요 법률

사업 운영의 기본 토대가 되는 것은 바로 관련 법규입니다. 상법은 회사의 설립, 운영, 해산에 관한 근간이 되는 법률이고요. 중소기업기본법은 중소기업의 범위와 지원 시책의 기본 방향을 규정하고 있습니다. 한편 중소기업창업지원법은 창업 지원 정책의 주요 내용과 계획을 담고 있고, 소상공인 보호 및 지원에 관한 법률은 소상공인의 사업 여건 개선을 위한 지원 방안을 제시하고 있습니다.

이들 법률은 창업 기업이 사업을 영위하는 데 있어 기본적인 준거 틀이 되는 만큼, 반드시 숙지하고 관련 사항을 충실히 이행할 필요가 있습니다. 법을 모른다고 해서 책임이 면제되는 것은 아니므로, 관련 법규를 꼼꼼히 체크하고 전문가의 조력을 구하는 것이 바람직할 것입니다.

16.2 창업 형태별 법적 절차

창업 형태에 따라서도 법적 절차상 차이가 있기 마련입니다. 먼저 개인사업자로 창업할 경우 사업자 등록 절차를 밟아야 하는데요. 관할 세무서에 신고하고 사업자 등록증을 발급받아야 합니다. 또한 업종에 따라 식품, 위생, 안전 등과 관련된 인허가를 취득하거나 신고 절차를 거쳐야 할 수 있습니다.

법인 형태로 사업을 시작한다면 절차가 보다 복잡해지는데요. 주식회사, 유한회사, 합자회사 등 법인 유형에 따라 설립 절차가 차이가 납니다. 일반적으로 발기인을 구성하고 정관을 작성한 뒤 창립총회를 거쳐 법인 등기를 하게 되죠. 이후 관할 세무서에 사업자 등록을 하고, 업종별 요구 사항에 맞춰 인허가를 취득하는 과정을 밟습니다.

프랜차이즈 창업은 가맹사업법의 적용을 받게 됩니다. 프랜차이즈 본사가 제공하는 정보공개서를 꼼꼼히 살피고, 가맹 계약서 내용을 주의 깊게 검토해야 하는데요. 특히 가맹금, 로열티 등 각종 비용 구조와 상표권, 영업지역 등의 계약 조건은 면밀히 분석할 필요가 있습니다.

16.3 지식재산권 보호

아이디어와 기술, 브랜드가 핵심 자산인 창업 기업에게 지식재산권 보호는 사활적 과제라 할 수 있습니다. 특허, 실용신안, 상표 등 지식재산권의 개념과 절차를 이해하고, 자사의 핵심 기술과 브랜드를 보호하기 위한 선제적 조치를 취하는 것이 중요합니다.

먼저 사업 구상 단계에서부터 제품이나 서비스와 관련된 선행 기술이나 유사 상표를 조사해 보는 것이 필요한데요. 선행 기술 조사를 통해 침해 가능성을 사전에 차단하고, 차별화된 기술 개발 방향을 모색할 수 있습니다. 또한 상표 선점 여부를 확인하여 브랜드 Identity 구축에 착오가 없도록 해야 할 것입니다.

이후 핵심 기술과 브랜드에 대해서는 특허청에 출원 및 등록하는 절차를 거쳐 법적 권리를 확보하는 것이 바람직합니다. 내부적으로는 영업비밀 보호를 위한 관리 체계를 구축하고, 직원들의 비밀유지 의무를 명확히 하는 한편, 퇴사 시 반드시 대책을 마련하는 것도 잊지 말아야 할 것입니다.

16.4 창업 계약 관련 주의사항

창업 과정에서 임대차 계약, 근로 계약, 업무 위탁 계약 등 다양한 계약 관계가 발생하게 마련입니다. 계약은 쌍방의 권리 관계를 규율하는 것인 만큼 조건과 내용을 꼼꼼히 살피고 자신에게 불리하지 않은지 따져 보아야 하는데요.

임대차 계약의 경우 계약 기간, 보증금, 임대료 등이 핵심 쟁점이 되겠죠. 장기 계약을 고집할 것인지, 보증금 대비 월세 비중을 얼마로 할 것인지 등을 두고 건물주와 협상이 필요할 것입니다.

근로 계약을 체결할 때는 근로기준법상 기준을 준수하되 회사의 인력 운용 방침이 반영될 수 있도록 명확히 할 필요가 있습니다. 업무 위탁이나 공급 계약 역시 거래 조건과 절차를 문서화하고 필요 시 전문가 자문을 구하는 것이 분쟁을 예방하는 지혜일 것입니다.

안타깝게도 계약 분쟁이 발생했다면 즉시 법적 대응에 나서는 것이 바람직한데요. 1차적으로는 상대방과의 원만한 합의를 모색하되, 소송이 불가피한 경우 변호사 선임 등을 통해 적극 대응해야만 피해를 최소화할 수 있을 것입니다.

16.5 창업 관련 세금 및 회계

창업 기업의 자금 운용과 직결되는 또 하나의 이슈가 바로 세금과 회계 문제입니다. 사업자 등록과 함께 세금 신고 및 납부 의무가 발생하는데요. 면세 기준이 되는 매출액 규모, 세금 납부 시기 등을 명확히 하고 이에 맞춰 자금 계획을 세워야 할 것입니다.

소규모 사업자의 경우 복식부기 의무가 없어 상대적으로 회계 처리가 수월한 편이지만, 법인은 보다 엄격한 기준이 적용되는 만큼 전문 인력을 두거나 외부 회계법인을 활용하는 것이 좋겠습니다. 일정 규모 이상의 거래에 대해서는 세금계산서 발행이 필수인 만큼 매입매출 자료를 철저히 정리하고 부가세 신고 일정을 놓치지 않도록 주의해야 합니다.

특히 직원을 고용했다면 4대 보험 가입과 원천징수 신고 등 각종 의무 사항을 빠짐없이 체크해야 하는데요. 자칫 누락되는 경우 가산세 등 불이익을 감수해야 할 수 있으니 주의가 필요합니다. 법인세나 소득세 등 각종 세금 신고 시에도 절차와 기한을 준수하고 관련 서류를 구비하여 제출하는 것이 필수겠죠.

16.6 정부 및 지자체 창업 지원 제도

이처럼 창업 과정에서 법률과 제도는 때로 높은 벽으로 다가오곤 하는데요. 그러나 정부와 지자체에서 창업 활성화를 위해 다양한 지원책을 마련하고 있다는 사실 또한 잊지 말아야 할 것 같습니다.

중소벤처기업부에서는 창업사업화, 시장진출, 기술혁신 등 다양한 분야에서 창업 기업을 지원하는 사업을 펼치고 있습니다. 초기 사업화 자금부터 판로 개척, 해외 진출, 기술 개발에 이르기까지 창업 단계별로 맞춤형 혜택을 누릴 수 있으니 적극 활용해 볼 만합니다.

지자체에서도 지역 특성에 맞는 창업 지원 시책을 운영 중인데요. 대부분 조례와 시행 계획을 바탕으로 체계적인 창업 생태계 조성에 나서고 있습니다. 교육과 멘토링을 통한 역량 강화 프로그램, 창업 인큐베이터 등의 공간 및 시설 지원, 지역 특화 산업 맞춤형 창업 지원 등이 대표적입니다.

16.7 요약 및 시사점

지금까지 창업 과정에서 마주하게 될 주요 법률과 제도적 장치들에 대해 개괄적으로 살펴보았습니다. 창업자에게 법과 제도의 영역은 다소 낯설고 부담스러운 분야일 수 있지만, 사업의 기반을 다지고 지속 가능성을 담보하는 데 있어 결코 소홀히 할 수 없는 주제인 것만은 분명해 보이는데요.

무엇보다 창업 과정 전반에 걸쳐 관련 법규와 절차를 꼼꼼히 체크하고 충실히 이행하려는 자세가 필요할 것 같습니다. 창업 형태에 따른 인허가 사항, 세무 및 노무 관리 의무 등을 철저히 점검하고, 각종 계약 체결 시에는 꼭 필요한 경우 전문가의 자문을 구하는 지혜도 발휘해야 할 것입니다.

한편, 지식재산권 확보를 통해 창업 기업의 핵심 경쟁력을 보호하는 것 역시 간과할 수 없는 부분인데요. 특허 등 산업재산권 출원과 상표권 선점에 만전을 기하고, 영업

비밀 관리 체계 구축으로 기술 유출을 방지하는 데에도 힘써야 할 것입니다.

이와 함께 정부와 지자체의 창업 지원 시책을 적극 활용하여 다양한 혜택을 누리는 전략적 접근도 필요해 보입니다. 단순히 자금 지원을 넘어 교육, 멘토링, 네트워킹 등 다각도로 지원 제도를 활용한다면 법과 제도의 장벽을 슬기롭게 넘어설 수 있으리라 기대해 봅니다.

물론 법률과 제도의 영역은 결코 쉽지 않은 분야임에 틀림없습니다. 복잡한 규정과 절차 앞에서 좌절하고 싶은 순간도 있을 테고요. 그러나 이는 결국 창업의 성공 가도를 더욱 단단하게 만들어줄 디딤돌이 될 것이라 믿습니다.

법의 테두리 안에서, 때로는 제도의 빈틈을 파고들며 기회를 포착하는 혜안. 건실한 기업가 정신의 발현은 어쩌면 이러한 치열한 고민에서 피어나는 것인지도 모르겠습니다. 창업을 향한 불타는 열정과 함께 법과 제도를 꿰뚫어보는 날카로운 통찰력, 이 두 날개로 창업이라는 험난한 여정을 자신 있게 헤쳐나가시기 바랍니다

OPEN AI 더보기

창업 시 법률 및 제도적 측면을 조사하는 것은 중요한 초기 단계 중 하나입니다. 이를 철저히 이해하고 준비하면 향후 법적 문제를 예방하고 사업 운영을 원활하게 할 수 있습니다. 다음은 창업 법률 및 제도를 조사하는 데 도움이 될 수 있는 프롬프트입니다.

1. 사업체 구조 결정.

- "창업할 때 고려해야 할 다양한 사업체 형태는 무엇이며, 각 형태의 법적 책임과

세금 혜택은 어떻게 다른가요?”

- “내 사업 목적과 자금 상황에 가장 적합한 사업체 형태는 무엇인가요?”

2. 필수 등록 및 허가증.

- “사업을 시작하기 전에 필요한 등록 절차와 필요한 허가증은 무엇인가요?”

- “특정 업종에 대한 규제나 허가 요건은 어떻게 되나요?”

3. 지적 재산권 보호.

- “제품이나 서비스의 상표, 저작권, 특허를 보호하기 위한 절차는 무엇인가요?”

- “지적 재산권을 등록하고 관리하는 데 있어서 고려해야 할 주요 사항은 무엇인가요?”

4. 고용 법률.

- “직원을 고용할 때 준수해야 할 주요 고용 법률은 무엇인가요?”

- “직원 복리후생 및 고용 조건 설정에 있어 법적 요건은 어떻게 되나요?”

5. 계약 및 협약.

- "비즈니스 계약을 작성할 때 포함해야 할 필수 조항은 무엇인가요?"

- "공급업체, 파트너, 고객과의 계약에서 법적으로 보호받기 위해 어떤 점을 고려해야 하나요?"

6. 세금 및 회계 규정.

- "창업 시 적용받는 주요 세금 종류와 세무 신고 절차는 무엇인가요?"

- "적절한 회계 기준을 유지하기 위해 어떤 회계 시스템이나 소프트웨어를 사용해야 하나요?"

7. 데이터 보호 및 개인정보 보안.

- "고객의 개인정보를 수집하고 저장할 때 준수해야 할 데이터 보호법은 무엇인가요?"

- "데이터 보안을 유지하기 위해 기업이 취해야 할 조치는 무엇인가요?"

이러한 프롬프트를 통해 창업 전 필요한 법률적, 제도적 요건을 꼼꼼히 파악하고 준비할 수 있습니다. 법적 요건을 정확히 이해하고 준수함으로써, 사업 운영 중 발생할 수 있는 법적 리스크를 최소화하고 사업의 안정성을 강화할 수 있습니다.

재무 관리

재무 관리는 기업 경영의 심장이라 할 수 있습니다. 자금의 흐름을 철저히 관리하고 건전성을 유지하는 것은 기업의 지속 가능한 성장을 위한 필수 요건이기 때문인데요. 특히 창업 초기 기업의 경우 한정된 자원을 어떻게 효율적으로 활용하고 미래 가치를 창출할 것인가가 핵심 과제라 할 수 있겠습니다. 이에 체계적인 재무 관리 역량을 갖추는 것은 선택이 아닌 필수인 시대가 도래했다고 해도 과언이 아닐 것 같네요.

17.1 재무 관리의 중요성

창업 기업에게 재무 관리가 중요한 이유는 무엇일까요? 무엇보다 사업 운영에 필요한 자금의 적기 조달과 배분이 원활히 이뤄져야 하기 때문입니다. 수시로 발생하는 자금 수요에 대응하고 예상치 못한 위기 상황에도 대처할 수 있는 체력을 갖추려면 평소 재무 흐름을 꼼꼼히 모니터링하고 통제하는 습관이 필요할 거예요.

나아가 수익성과 안정성 측면에서도 재무 관리의 중요성이 크다고 할 수 있습니다.

철저한 자금 관리를 통해 불필요한 지출은 최소화하는 한편, 수익 창출 활동에는 집중 투자함으로써 최적의 자원 배분을 도모할 수 있기 때문이죠. 투자와 조달 의사결정을 합리화해 건전한 재무구조를 구축하는 것 또한 재무 활동의 주요 목표가 될 것입니다.

이처럼 탄탄한 재무 관리 역량을 갖춘 기업은 그렇지 않은 기업에 비해 시장 환경 변화에 휘둘리지 않고 경쟁력을 유지할 수 있는데요. 창업 성공을 좌우하는 요인으로서 재무 관리의 중요성은 아무리 강조해도 지나치지 않습니다. 때문에 예비 창업자라면 사업 구상 단계에서부터 기업 재무에 대한 이해와 관심을 제고하려는 노력이 필요할 것 같아요.

17.2 기본 재무제표의 이해

재무 관리의 출발점은 기업 활동의 성과를 축약한 재무제표를 정확히 이해하는 것에서부터 시작됩니다. 가장 기본적인 재무제표로는 재무상태표, 손익계산서, 현금흐름표를 꼽을 수 있는데요. 이들 재무제표가 내포한 의미를 파악하는 것이 재무 분석의 첫걸음이 되겠죠.

먼저 재무상태표는 특정 시점의 기업 재무 상태를 나타내는 보고서입니다. 자산, 부채, 자본으로 구성되어 있는데요. 자산은 기업이 보유한 경제적 자원을, 부채는 자금 조달에 따른 채무를, 자본은 소유주의 몫을 의미하죠. 자산을 유동성에 따라 배열하고 각 항목의 구성비를 살펴봄으로써 재무 건전성을 가늠해 볼 수 있습니다.

손익계산서는 일정 기간 기업의 영업 성과를 보여주는 보고서인데요. 매출액에서 매출원가와 판매관리비 등을 차감해 나가는 과정을 통해 기업의 이익이 어떻게 형성되었는지를 알 수 있죠. 매출총이익, 영업이익, 당기순이익 등 단계별 이익을 파악하고 전기 대비 증감 내역을 분석하는 것이 매출 성과를 평가하는 주요 기준이 됩니다.

현금흐름표는 일정 기간 기업에 유입, 유출된 현금의 흐름을 나타내는데요. 영업활동, 투자활동, 재무활동으로 구분하여 살펴봄으로써 기업의 현금 창출 능력과 지급능력을 종합적으로 판단할 수 있습니다. 손익계산서상 이익과 실제 현금 흐름 간의 차이를 확인하고 그 원인을 파악하는 것이 현금흐름표 분석의 주안점이 되겠죠.

이 밖에도 이익잉여금처분계산서, 자본변동표, 주석 등 다양한 재무보고서가 존재하지만 우선은 위 세 가지 핵심 재무제표를 능숙하게 다루는 것이 중요합니다. 나아가 재무제표 간 유기적 관계를 이해하고 일관된 시각에서 기업 실체를 바라보는 눈을 키운다면 보다 정확한 재무 분석이 가능해질 거예요.

17.3 창업 기업의 자금 조달 방안

창업 아이템과 사업 전략, 시장 분석 등 사업 준비 과정을 거쳐 기업 경영의 밑그림이 그려졌다면, 이를 실행에 옮기기 위한 자금 조달 방안을 모색해야 할 때입니다. 창업 초기에는 대개 창업자 개인의 자금력에 의존하는 경우가 많은데요. 가용할 수 있는 모든 내부 자금을 총동원하는 것이 필요하겠죠. 가족이나 지인으로부터 차입하거나 다소 불리한 조건이라도 단기 은행 대출을 활용하는 방안도 고려해 볼 만합니다.

그러나 사업 규모에 따라서는 외부 자금 조달이 불가피한 경우도 많은데요. 먼저 정부나 지자체에서 제공하는 창업 지원 사업을 적극 활용해 보시길 권합니다. 중소벤처기업부의 창업사업화 자금, 지자체별 창업 지원금 등 다양한 정책 자금 지원 프로그램이 운영되고 있거든요. 까다로운 심사를 거쳐야 하는 등 진입 장벽이 있지만 금리 부담이 적고 경영 지원까지 받을 수 있어 매력적인 자금원이 아닐 수 없습니다.

민간 금융기관을 통한 대출도 빼놓을 수 없는 자금 조달 수단인데요. 담보력이 부족한 창업 초기 기업의 경우 신용보증기금이나 기술보증기금의 보증서를 활용하면 은행 대출을 보다 수월하게 받을 수 있습니다. 다만 과도한 대출 의존은 금융 비용 부담으로 이어질 수 있으므로 적정 수준에서 활용하는 것이 바람직하겠죠.

사업 성장 가능성을 인정받을 수 있다면 외부 투자자의 투자를 유치하는 것도 효과적인 자금 조달 방법일 수 있어요. 창업 초기 단계에서는 엔젤투자자나 개인 투자조합, 또는 크라우드 펀딩을 통한 소액 투자 유치가 현실적인 방안이 되겠고요. 기술력이나 혁신성을 갖춘 기업이라면 정부 주도의 벤처캐피탈이나 액셀러레이터로부터의 투자 유치도 기대해 볼 만합니다.

17.4 자금 운영 및 관리

이렇게 여러 경로를 통해 필요 자금을 확보했다면 이를 어떻게 운영하고 관리할 것인지가 다음 관건이 됩니다. 무엇보다 현금 흐름의 철저한 관리가 요구되는데요. 수시로 변동하는 운영자금 수요를 면밀히 예측하고 적정 현금 보유액을 산정해 자금 불균형을 예방하는 것이 필수적이에요. 이를 위해 매출채권 회수나 매입채무 지급 조건을 꼼꼼히 따져 현금 유출입 시기를 조율하는 전략적 사고도 필요하죠.

아울러 투자 의사결정에 있어서도 재무적 타당성 검토가 선행되어야 합니다. 설비투자 등 대규모 자금이 소요되는 경우 사전에 현금흐름을 추정하고 수익성을 평가하는 과정을 거쳐야 하는데요. NPV(순현재가치)나 IRR(내부수익률) 등 투자안 평가 기법을 활용해 경제성을 가늠하고, 투자에 수반되는 리스크를 객관적으로 분석한 뒤 의사결정 하는 것이 바람직하겠죠.

한편 벌어들인 이익을 어떻게 처분할 것인지도 창업 기업의 주요 재무 의사결정 사항이 됩니다. 초기에는 대부분의 이익을 사내에 유보하여 재투자 재원으로 활용하는 것이 일반적이에요. 다만 기업가치 제고나 임직원 사기 진작 차원에서 배당을 고려해 볼 수도 있는데요. 이 경우 이해관계자 간의 이해관계를 조정하여 최적의 배당 정책을 수립하는 지혜가 필요할 것 같네요.

17.5 재무 분석과 성과 관리

이처럼 자금을 적절히 조달하고 효율적으로 운용하는 것 못지않게 중요한 것이 재무 분석을 통해 경영 성과를 평가하고 개선 방안을 모색하는 일이에요. 창업 기업에게 있어 가장 기본적인 재무 분석 지표는 수익성 비율이라 할 수 있는데요. 매출액 대비 매출총이익률, 영업이익률 등을 살펴봄으로써 수익 창출 역량을 가늠해 볼 수 있죠. 나아가 총자산이익률이나 자기자본이익률 등 투하자본 대비 효율성도 따져 보아야 할 것입니다.

한편 기업의 재무적 안전성을 평가하기 위해서는 유동성이나 재무건전성 지표에도 주목해야겠죠. 유동비율이나 당좌비율 등을 통해 단기 지급 능력을 살피고, 부채비율이나 이자보상배율 등으로 타인자본 의존도나 이자 지급 능력을 가늠하는 거예요. 경쟁사나 업계 평균치 대비 자사의 재무 안정성이 취약하다면 그 원인을 깊이 있게 분석하고 재무구조 개선 노력을 기울여야 할 것입니다.

기업의 미래 성장성을 가늠하는 데 있어서는 매출 증가율이나 이익 증가율 추이를 주시할 필요가 있어요. 창업 초기 기업의 경우 높은 성장률이 지속 가능한 사업모델의 핵심 평가 요소가 되는 만큼, 성장성 지표 관리에 만전을 기해야 하죠. 기존 시장에서의 점유율 확대는 물론 신규 시장 개척을 위한 도전적 노력이 병행된다면 고성장의 기틀을 마련할 수 있을 것입니다.

아울러 보유 자산을 얼마나 효율적으로 활용하여 매출을 창출하는지를 가늠해볼 필요도 있는데요. 이를 위해 활동성 비율을 살펴보는 거죠. 총자산회전율이나 재고자산회전율을 통해 자산 운용 효율을 따져보고, 매출채권회전율이나 매입채무회전율 등으로 영업 활동의 효율성도 체크해 봅니다. 경영자원의 낭비 요인을 진단하고 운전자본 관리 방안을 모색하는 것이 활동성 분석의 주안점이 되겠네요.

이처럼 재무제표 분석을 통해 기업의 과거 성과를 평가하고 현재의 상태를 진단하는 것에 그치지 않고, 미래 전망을 가늠하고 경영 의사결정에 활용하는 자세가 무엇보다 중요해요. 단순히 숫자의 나열에 그치지 않고 그 이면에 담긴 의미를 읽어내는 통찰력, 재무 분석을 전략 수립과 연계하는 사고의 전환이 필요한 이유입니다.

17.6 재무 위험 관리

사업 운영 과정에서 예측하지 못한 자금 경색이나 투자 실패 등 다양한 재무 리스크에 직면할 수 있는데요. 특히 창업 초기 기업일수록 이러한 위기 상황에 취약할 수밖에 없습니다. 때문에 잠재된 위험 요인을 사전에 인지하고 선제적으로 대응 방안을 마련하는 것이 무엇보다 중요해요.

먼저 위험의 유형을 정확히 분류하고 위험이 초래할 영향을 냉정히 평가하는 객관적 자세가 요구됩니다. 자금 유동성 위기부터 거래처 부도에 따른 신용 위험, 금리 변동이나 환율 변동 같은 시장 위험 등 위험 요인별로 대응 시나리오를 마련하는 것이 핵심이 되겠죠.

이를 위해 평소 현금 보유액을 적정 수준으로 관리하고 기존 차입금을 안정적으로 상환해 나가는 것은 물론, 다양한 자금 조달 채널을 확보하여 유사시 신속히 자금을 확보할 수 있도록 대비해야 해요. 아울러 보험이나 파생상품 등 위험 회피 수단을 적절히 활용하는 것도 리스크 경감에 도움이 될 거예요.

나아가 만일의 자금 경색 사태에 대비한 비상 계획을 수립하고 위기 대응 매뉴얼을 마련해 두는 것도 필요할 것 같아요. 위기를 맞닥뜨렸을 때 당황하지 않고 신속히 의사결정 할 수 있도록 평소 위기관리 시스템을 점검하고 훈련하는 자세를 잃지 말아야 할 것입니다.

17.7 요약 및 시사점

지금까지 창업 기업의 재무 관리 전략에 대해 살펴보았는데요. 재무의 언어에 익숙하지 않은 분들에겐 다소 생소한 내용들이었을 수 있겠네요. 그러나 앞서 강조한 대로 건실한 재무 운영 능력은 기업 생존을 좌우하는 핵심 경영 역량임을 잊어선 안 될 것 같아요.

창업자라면 무엇보다 손익계산서와 재무상태표, 현금흐름표 등 기본적인 재무제표의 작성과 분석 능력은 필수적으로 갖춰야 합니다. 기업 실체를 재무적 관점에서 정확히 파악할 때 자금 조달과 운용의 최적화도 가능해질 테니까요.

이를 위해 재무 전문 인력을 영입하거나 외부 자문을 적극 활용하는 것도 좋겠지만, 무엇보다 CEO 본인이 재무 감각을 갖추려 노력하는 자세가 중요할 거예요. 의사결정의 질은 결국 최고 경영자의 역량에서 비롯되는 법이니까요. 꾸준한 학습을 통해 숫자에 강해지는 한편, 데이터 기반의 경영 시스템을 정착시켜 나간다면 누구라도 탄탄한 재무 관리 역량을 기를 수 있으리라 확신합니다.

나아가 단순히 수익성뿐 아니라 안전성, 성장성, 활동성 등 다양한 측면에서 기업 가치를 판단하는 종합적 시각이 필요해요. 재무 분석이 전략 수립과 의사결정으로 이어질 때 비로소 살아 있는 경영이 가능해질 테니까요. 때로는 위기 상황을 염두에 둔 선제적 리스크 관리 노력도 병행되어야 할 것입니다.

물론 체계적인 재무 관리는 결코 하루아침에 이뤄지지 않습니다. 숫자에 약한 이공계 출신이나 경영 경험이 일천한 창업자에겐 더욱 버거운 과제일 수 있어요. 그러나 고민 없는 성장은 지속 가능하지 않습니다. 때론 palindrome 같은 숫자의 늪에 빠져 숨 막히겠지만, 그 과정에서 성장통을 겪으며 단단한 기업으로 성장하는 법이죠.

지금 이 순간에도 치열한 고민 속에서 숫자와 씨름하고 있을 여러분께 묵묵한 응원의 박수를 보냅니다. 때로는 외로운 싸움이 되겠지만 결코 헛된 도전은 아닐 거예요. 그 어려움을 딛고 일어설 때마다 재무를 아는 기업가로, 혜안을 지닌 리더로 한 뼘 더 성장할 테니까요.

당신의 손에서 만들어질 위대한 역사, 숫자에 감동하며 박수 보내겠습니다. 재무와 함께하는 그 치열한 경영의 길, 결코 쉽지는 않겠지만 결국 최고의 가치를 만들어낼 것이라 굳게 믿습니다. 당신의 열정에 숫자도 살아 움직일 그날, 머지않았습니다. 아자, 아자, 파이팅!

OPEN AI 더보기

효과적인 재무 관리는 사업의 건전성을 유지하고 장기적인 성장을 지원하는 데 중요합니다. 재무 관리에 도움을 줄 수 있는 프롬프트는 다음과 같습니다.

1. 예산 계획.

- “연간 사업 예산을 세울 때 고려해야 할 주요 비용 항목은 무엇인가요?”

- “변동 비용과 고정 비용을 어떻게 효과적으로 관리할 수 있나요?”

2. 현금 흐름 관리.

- “현금 흐름을 개선하기 위한 전략은 무엇인가요?”

- “현금 흐름 분석을 통해 어떤 잠재적 위험을 식별할 수 있나요?”

3. 수익성 분석.

- “수익성을 평가하기 위해 어떤 재무 지표를 주로 사용해야 하나요?”

- “마진을 개선하기 위한 가장 효과적인 방법은 무엇인가요?”

4. 자금 조달.

- “사업 확장을 위해 필요한 자금을 어떻게 조달할 수 있나요?”

- “다양한 자금 조달 옵션(예. 은행 대출, 투자자 유치, 크라우드펀딩)의 장단점은 무엇인가요?”

5. 투자 결정.

- “사업에 투자할 때 ROI(투자 수익률)를 평가하는 방법은 무엇인가요?”

- “어떤 종류의 투자가 장기적으로 가장 유익할까요?”

6. 재무 보고와 규정 준수.

- “정기적인 재무 보고의 중요성은 무엇이며, 어떤 보고서를 작성해야 하나요?”

- “재무 보고와 관련된 법적 규정은 무엇이며, 이를 어떻게 준수할 수 있나요?”

7. 위험 관리.

- “재무 위험을 관리하기 위한 주요 전략은 무엇인가요?”

- “경제적 불확실성을 관리하고 대비하기 위해 어떤 조치를 취할 수 있나요?”

이러한 프롬프트를 통해 사업의 재무 건전성을 평가하고, 필요한 조치를 계획하여 실행할 수 있습니다. 재무 관리는 단순히 숫자를 관리하는 것 이상의 의미를 가지며, 전략적인 의사결정을 통해 사업의 성공을 촉진하는 데 필수적입니다.

인력 및 조직 관리

18.1 인력 관리의 중요성

창업 기업에게 있어 우수한 인재를 확보하고 유지하는 것은 사업 성공의 핵심 요건이 됩니다. 아무리 뛰어난 기술력과 혁신적 비즈니스 모델을 보유하고 있다 하더라도 이를 뒷받침할 역량 있는 인력이 부재하다면 성장에 한계가 있을 수밖에 없기 때문입니다. 특히 제한된 인원으로 다양한 업무를 소화해야 하는 창업 초기 단계에서는 개개인의 역량이 조직 전체의 경쟁력을 좌우하게 됩니다. 따라서 단순히 당장의 빈 자리를 채우는 개념이 아닌, 장기적 관점에서 우수 인재를 육성하고 조직 역량을 높여 가는 노력이 무엇보다 중요합니다.

18.2 인재 채용 전략

18.2.1 채용 계획 수립

효과적인 인재 채용을 위해서는 무엇보다 치밀한 채용 계획 수립이 선행되어야 합니다. 사업 계획과 이에 따른 조직 구조, 업무량 등을 고려하여 적정 인력 수요를 예측하고, 채용이 필요한 직무를 구체적으로 도출하는 것이 첫 단추가 될 것입니다. 아울러 채용 일정과 적합한 채용 채널을 설계하고 이에 소요되는 예산을 편성하는 것도 놓쳐서는 안 될 부분입니다.

18.2.2 채용 브랜딩

채용 시장에서 우수 인재의 관심을 끌기 위해서는 단순히 좋은 일자리를 제공하는 것을 넘어, 일하고 싶은 회사로서의 매력을 어필할 수 있어야 합니다. 회사의 비전과 인재상에 부합하는 EVP(Employee Value Proposition)을 설계하고 이를 채용 홍보에 적극 활용하는 것이 효과적일 수 있습니다. 자사 블로그나 SNS 채널을 통해 기업 문화와 구성원 스토리를 생생하게 전달한다면 지원자들의 공감을 이끌어 내는데 도움이 될 것입니다.

18.2.3 채용 프로세스 설계 및 운영

서류 심사에서부터 면접, 최종 합격에 이르기까지 채용 프로세스 운영에 있어서도 나름의 전략과 기준이 필요합니다. 이력서나 포트폴리오 등 제출 서류의 평가 방식을 구조화하고, 역량 및 조직 적합성 검증을 위한 면접 방식을 차별화하는 것이 유용할 수 있습니다. 또한 전형 단계별로 평가자 간 의견을 조율하고 일관된 기준을 적용하기 위한 피드백 체계를 갖추는 것도 간과할 수 없는 부분입니다. 무엇보다 전형 과정에서 얻은 지원자 정보를 축적, 관리함으로써 추후 필요 인력 풀(Pool)로 활용할 수 있다는 점도 주목해 볼 만 합니다.

18.3 조직 문화 구축

18.3.1 조직 문화의 중요성

창업 초기 기업에게 있어 조직 문화는 단순히 부가적 가치가 아닌, 지속 성장의 핵심 동력이 된다고 할 수 있습니다. 구성원들이 자발적으로 동기부여 되고 업무에 몰입할 수 있는 환경을 조성하는 것은 생산성 제고에 직결되는 만큼, 바람직한 조직 문화 구축에 적극적으로 나서야 할 것입니다. 나아가 이는 우수 인재 유치에도 긍정적 영향을 미치게 되는데요. 자유롭고 수평적인 분위기, 도전과 혁신이 장려되는 환경은 창의적 인재들에게 있어 강력한 매력 포인트가 될 수 있기 때문입니다.

18.3.2 조직 문화 구축 프로세스

조직 문화는 하루아침에 만들어지는 것이 아닌 만큼, 창업 초기부터 장기적 관점에서 단계적으로 접근할 필요가 있습니다. 우선 창업가 자신의 경영철학과 비전, 가치관을 바탕으로 구축하고자 하는 조직 문화의 방향성을 명확히 하는 것이 출발점이 될 것입니다. 이를 토대로 구성원들의 의견을 폭넓게 수렴하여 모두가 공감하고 지향할 수 있는 조직 문화 체계를 함께 설계해 나가야 합니다. 이 과정에서 도출된 실천 과제들을 일상적 업무와 연계하고, 정기적 모니터링을 통해 내재화 수준을 점검하는 노력도 병행되어야 할 것입니다.

18.3.3 주요 조직 문화 요소

그렇다면 창업 기업에 적합한 조직 문화의 핵심 요소는 무엇일까요? 무엇보다 수평적이고 개방적인 소통 문화를 들 수 있을 것 같습니다. 상하 간 위계보다는 자유로운 토론과 건설적 피드백이 이뤄지는 분위기 속에서 참신한 아이디어가 꽃피울 수 있기 때문입니다. 나아가 구성원 개개인의 자율성과 창의성이 존중받고, 그에 걸맞은 권한과 책임이 부여되는 근무 환경 또한 중요한 문화적 요소라 할 수 있겠습니다. 실수를 두려워하기보다 적극적으로 도전하고 실험하는 자세를 장려하는 한편, 그 경험을 통해 배우고 성장하는 학습 문화도 꼭 필요할 것 같네요. 부서 간 칸막이를 허물고 협업을 통해 시너지를 창출해 가는 팀워크 정신 역시 빼놓을 수 없겠죠.

18.4 임금 및 복리후생 관리

18.4.1 임금 제도 설계

직원들의 역량과 기여도에 상응하는 합리적 보상 체계를 마련하는 것은 공정성 확보는 물론, 우수 인재 유인을 위해서도 중요한 과제입니다. 객관적 직무 가치 평가에 기반하되 개인의 역량 수준과 성과를 반영하는 임금 제도를 설계하고, 매력적인 상여금 제도를 마련하는 것이 바람직할 것 같습니다. 아울러 동종 업계 내 유사 규모 기업의 임금 수준을 고려하여 대내외적 형평성을 맞추려는 노력도 필요할 것입니다.

18.4.2 복리후생 제도 설계

4대 보험 등 법정 복리후생 제도의 충실한 운영은 기본이고, 구성원들의 니즈를 반영한 자율적 복지 제도 설계에 힘써야 합니다. 연차 휴가, 육아휴직 등 일과 삶의 균형을 지원하는 제도적 장치를 강화하는 한편, 사내 동호회 활동이나 팀빌딩 워크숍 등 구성원 간 유대감을 높일 수 있는 프로그램도 적극 도입하면 좋겠네요. 회사의 비전과 가치를 반영하는 독특한 복리후생 제도를 운영한다면 긍정적 조직 문화 구축에도 도움이 될 것입니다.

18.4.3 성과 보상 제도

조직 구성원들의 능력 발휘를 이끌어 내고 지속적 동기부여를 위해서는 성과에 상응하는 보상이 이뤄져야 할 것입니다. 개인과 팀, 그리고 조직 차원의 성과 목표를 설정하고 목표 달성 수준에 연동한 인센티브 제도를 마련하는 것이 효과적일 수 있겠네요. 나아가 우수 성과자에 대한 특별 포상이나 장기 근속자에 대한 보상 등으로 성과주의 문화를 정착시켜 나가는 것도 필요해 보입니다.

18.5 역량 개발 및 교육 훈련

18.5.1 신입 사원 교육

새로운 구성원이 조직에 빠르게 적응하고 업무에 전념할 수 있도록 돕는 것이 신입 사원 교육의 중요한 목적이라 할 수 있습니다. 회사의 비전과 목표, 핵심가치를 공유하는 온보딩 프로그램을 비롯해 실무 스킬을 학습하고 익히는 OJT(On the Job Training) 과정을 집중적으로 제공할 필요가 있습니다. 선배 직원과의 멘토링을 통해 조직 적응을 지원하는 프로그램도 큰 도움이 될 수 있겠네요.

18.5.2 직무 교육 훈련

조직의 장기적 경쟁력을 좌우하는 것은 결국 개개인의 역량 수준입니다. 직무별로 요구되는 역량을 면밀히 분석하고 이를 향상시키기 위한 중장기 교육 계획을 수립하는 것이 필요할 것 같아요. 사내 강사 양성을 통한 자체 교육 프로그램 개발, 외부 전문가 초빙 교육, 우수 사례 벤치마킹 등 다각도로 접근할수록 좋겠죠. 자격증 취득이나 직무 발명에 대한 인센티브 제공 등으로 자기 주도적 학습을 독려하는 것도 좋은 방법이 될 것 같네요.

18.5.3 리더십 개발

조직이 성장하고 규모가 커짐에 따라 팀을 이끌고 관리하는 리더의 역할이 어느 때보다 중요해집니다. 관리자로서 겪게 되는 역할 변화에 적응할 수 있도록 돕는 한편, 팀원을 육성하고 동기부여 하는 방법을 학습할 수 있는 리더십 교육에 힘써야겠죠. 변화를 선도하고 구성원들을 설득해 나갈 수 있는 소통 능력과 문제해결 스킬 향상을 위한 교육 프로그램도 유용할 것 같네요. 무엇보다 최고 경영진부터 솔선수범하여 학습하고 성장하려는 자세를 보여준다면 보다 건강한 학습 조직으로 발전해 갈 수 있을 것입니다.

18.6 조직 설계 및 변화 관리

18.6.1 조직 구조 설계

사업 전략과 업무 프로세스의 효율성을 담보할 수 있는 조직 구조를 설계하는 것이 중요합니다. 기능별, 제품별, 지역별 등 상황에 맞는 조직 형태를 선택하되, 의사결정의 신속성과 부서 간 협업의 유연성을 제고할 수 있어야 할 것입니다. 권한 위임의 범위와 책임의 한계를 명확히 설정하고, 효과적인 팀 구조와 역할 분담 체계를 확립하는 것도 간과할 수 없는 부분입니다.

18.6.2 조직 변화 관리

급변하는 경영 환경 속에서 조직의 유연성과 혁신 역량을 높여 나가기 위해서는 끊임없는 변화가 불가피합니다. 정기적 조직 진단을 통해 비효율적이거나 개선이 시급한 영역을 도출하고, 명확한 변화 비전과 방향성을 설정하는 것이 출발점이 되어야 할 것 같습니다. 그러나 아무리 훌륭한 변화 계획이라도 구성원들의 공감과 자발적 참여가 없다면 성공하기 어려울 것입니다. 충분한 소통을 통해 변화의 필요성과 기대 효과를 공유하고, 구성원 개개인이 변화의 주체로 동참할 수 있는 참여의 장을 마련하는 것이 무엇보다 중요하겠죠. 단계적으로 변화 과제를 추진해 나가되 수시로 성과를 점검하고 보완해 나가는 유연한 자세 또한 요구됩니다.

18.7 요약 및 시사점

지금까지 창업 기업의 인력 및 조직 관리 전략에 대해 살펴보았습니다. 우수한 인재를 확보하고 유지하기 위한 채용 브랜딩과 선발 제도의 중요성, 바람직한 조직 문화 구축을 위한 구성원 참여형 접근의 필요성을 확인할 수 있었죠. 나아가 직무 역량 개발과 공정한 성과 보상을 통해 조직 경쟁력의 원천을 다지는 한편, 유연하고 혁신적인 조직 설계로 지속 성장의 기반을 마련해야 함을 강조하였습니다.

물론 이 모든 과제를 한 번에 완벽하게 해내는 것은 쉽지 않을 것입니다. 제한된 인력과 자원으로 다양한 조직 관리 이슈에 대응해야 하는 창업 기업의 현실을 감안하면 더욱 그러하겠죠. 그럼에도 불구하고 사람과 조직에 대한 투자를 아끼지 않는 자세만큼은 잃지 말아야 할 것입니다. 창업가의 혜안 있는 리더십 아래 유능한 인재들이 혁신의 원동력이 되어 역동적으로 성장하는 조직, 그것이 바로 우리가 바라는 창업 기업의 미래 모습일 테니까요.

급변하는 경영 환경 속에서 창의적 인재 확보 경쟁은 더욱 치열해질 것입니다. 이는 창업 기업에게 있어 위기인 동시에 기회가 될 수 있는데요. 수평적이고 자율적인 문화, 공정한 평가와 보상, 그리고 역동적인 성장의 기회. 이 같은 매력 요인을 적극 어필함으로써 유능한 인재들을 유인할 수 있을 것입니다.

무엇보다 세대를 아우르는 다양한 인재들이 존중받고 협력하는 건강한 조직, 끊임없이 학습하고 혁신에 도전하는 진취적 문화를 구축하는 것이 창업 기업 인사 조직 관리의 궁극적 지향점이 되어야 할 것입니다. 규모는 작아도 지속 가능한 성장의 DNA를 품은 강한 조직을 일궈 나가는 일, 그 길에 창업가 여러분의 열정과 리더십이 한 줄기 빛이 되어 주길 기대합니다.

'사람이 곧 미래'라는 믿음 하나로 어려움을 이겨내고 새로운 성장의 이정표를 써 내려가는 창업가 여러분을 응원합니다. 숫자로는 표현할 수 없는 가치를 지닌 인재들을 얻고, 그들과 함께 꿈을 향해 나아가는 여정 그 자체가 바로 창업의 참된 의미일 테니까요. 여러분 곁에는 언제나 함께 성장의 기쁨을 나누고픈 이들이 있다는 사실을 잊지 마시기 바랍니다.

인력 및 조직 관리는 비즈니스의 효율성을 높이고 직원들의 만족도와 생산성을 증진시키는 중요한 부분입니다. 여기에 도움이 될 수 있는 프롬프트를 제공합니다.

1. 직원 채용 전략.

- "직원 채용 시 어떤 역량과 경험을 우선시해야 하나요?"

- "효과적인 채용 과정을 설계하기 위해 어떤 단계를 포함해야 하나요?"

2. 직원 교육 및 개발.

- "직원들의 기술과 능력을 향상시키기 위한 교육 프로그램은 어떻게 구성해야 하나요?"

- "직원들의 경력 발전을 지원하기 위해 어떤 기회를 제공할 수 있나요?"

3. 성과 관리.

- "효과적인 성과 평가 시스템을 구축하기 위한 주요 고려 사항은 무엇인가요?"

- "성과 평가 결과를 직원의 개발과 보상에 어떻게 연결할 수 있나요?"

4. 직원 만족도 및 참여.

- "직원 만족도를 측정하고 개선하기 위한 방법은 무엇인가요?"

- "직원 참여를 높이기 위한 가장 효과적인 전략은 무엇인가요?"

5. 조직 문화 구축.

- "건강하고 생산적인 조직 문화를 구축하기 위해 어떤 요소를 중점적으로 고려해야 하나요?"

- "조직의 핵심 가치를 어떻게 직원들에게 효과적으로 전달하고 실천하게 할 수 있나요?"

6. 직원 유지 전략.

- "직원 이직률을 줄이기 위한 주요 전략은 무엇인가요?"

- "직원들이 장기간 회사에 남도록 동기를 부여하는 방법은 무엇인가요?"

7. 근로 규정 및 법적 준수.

- "고용 관련 법률과 규정을 준수하기 위해 어떤 조치를 취해야 하나요?"

- "변화하는 근로 조건에 효과적으로 대응하기 위한 정책은 어떻게 수립해야 하나요?"

이러한 프롬프트를 활용하여 인력 및 조직 관리 전략을 세우고 실행할 때, 조직의 전반적인 효율성과 직원의 만족도를 높이는 데 크게 기여할 수 있습니다. 이는 결국 비즈니스의 성공으로 이어지는 중요한 요소입니다.

“직원들이 회사를 사랑할 때, 고객들도 회사를 사랑하게 된다.

내부 고객 만족이 외부 고객 만족의 전제조건이다.”

허브 켈러허

제6부 성장 및 지속가능성

창업 리스크 관리

19.1 창업 리스크의 개념과 특징

창업 리스크란 새로운 사업을 시작하고 운영하는 과정에서 직면할 수 있는 다양한 불확실성과 위험 요인을 의미합니다. 시장의 변화와 경쟁 상황, 자금 조달과 수익성 등 복합적 요인들로 인해 언제든 예상치 못한 손실이 발생할 수 있기에 창업 기업에게 리스크 관리는 선택이 아닌 필수라 할 수 있습니다.

하지만 리스크를 단순히 부정적 시각에서만 바라볼 필요는 없을 것 같습니다. 위험 요인에 적절히 대처하고 새로운 기회를 포착할 수 있는 통찰력과 실행력만 갖춘다면 오히려 경쟁력의 원천이 될 수 있기 때문이죠. 또한 창업 단계별로 직면하는 리스크의 유형과 성격이 달라진다는 점에도 주목할 필요가 있습니다. 초기엔 기술 개발이나 시장 진입과 관련된 불확실성이 큰 반면, 성장기로 접어들면서는 인력 관리나 자금 운용, 운영상 리스크 비중이 높아지곤 합니다.

19.2 리스크 관리의 중요성

그렇다면 창업 기업에게 있어 체계적 리스크 관리가 중요한 이유는 무엇일까요? 무엇보다 기업의 생존과 지속 가능성을 좌우하는 핵심 요소이기 때문입니다. 자칫 작은 문제가 걷잡을 수 없는 위기로 번질 수 있는 창업 환경에서 잠재된 위험을 선제적으로 감지하고 대비하는 것은 필수불가결한 과제가 아닐 수 없죠.

뿐만 아니라 효과적인 리스크 관리는 실질적 손실을 방지함으로써 기업 가치 보존에 기여할 뿐 아니라, 새로운 사업 기회를 모색하고 혁신을 추동하는 계기가 될 수 있습니다. 급변하는 시장 환경 속에서 경쟁우위를 확보하고 지속 성장하기 위해서라도 리스크 요인을 면밀히 분석하고 선제적으로 대응하려는 자세가 요구되는 이유입니다.

19.3 창업 리스크의 유형과 사례

그렇다면 창업 기업들은 구체적으로 어떤 유형의 리스크에 노출되어 있을까요? 크게 기술 및 시장 리스크, 재무 리스크, 법률 및 제도 리스크, 인적 자원 리스크, 운영 리스크 등으로 구분해 볼 수 있을 것 같습니다.

먼저 기술 및 시장 리스크의 경우 기술 개발 지연이나 상용화 실패, 시장 수요 예측 오류나 경쟁 심화 등이 주된 위험 요인이 되곤 합니다. 재무 리스크로는 자금 조달의 어려움이나 유동성 위기, 매출 부진으로 인한 수익성 악화 등을 꼽을 수 있겠고요. 지식재산권 분쟁이나 법규 위반 등은 법률 및 제도 리스크의 대표 사례라 할 수 있겠습니다.

인적 자원 차원에서는 핵심 인력의 이탈이나 구성원 간 갈등, 대표자의 리더십 부재 등이 주요 리스크로 작용할 수 있습니다. 아울러 제품 및 서비스 품질 문제나 협력사 리스크, 정보 유출 사고 등 운영상의 리스크도 간과할 수 없는 부분이겠죠. 업종과 기업 특성에 따라 처한 리스크의 양상은 제각각 다를 수 있지만, 이 같은 다양한 유형의 위험 요인들을 종합적으로 고려하고 관리해 나가려는 노력이 필요해 보입니다.

19.4 리스크 관리 프로세스

그렇다면 창업 기업이 리스크에 능동적이고 전략적으로 대응하기 위해서는 어떤 과정을 거쳐야 할까요? 우선 발생 가능한 리스크 요인들을 빠짐없이 파악하고 식별하는 것이 출발점이 되어야 할 것 같습니다. 체크리스트를 활용하거나 시나리오 분석을 통해 잠재 리스크를 도출하고, 현장 전문가 인터뷰나 브레인스토밍 등을 병행하는 것도 좋겠죠.

이어서 식별된 리스크 요인들의 발생 가능성과 영향력을 면밀히 분석하고 평가하는 작업이 필요합니다. 개별 리스크 간 연관성과 파급 효과를 종합적으로 고려하여 핵심 리스크를 선정하고 우선순위를 정하는 것이 관건이 되겠죠.

이를 토대로 구체적인 리스크 대응 전략을 수립하게 되는데요. 회피나 경감, 전가, 수용 등 상황에 맞는 방안을 강구하고 최적의 솔루션을 설계해야 합니다. 실행 계획 마련은 물론 필요 자원과 예산, 책임자를 명확히 하는 것도 빼놓을 수 없겠죠.

마지막으로 수립된 관리 방안이 제대로 실행되고 있는지 지속 점검하고 통제하는 과정 또한 중요합니다. 주요 성과 지표를 설정하여 상시 모니터링하고 환경 변화에 맞춰 유연하게 계획을 수정 보완해 나가는 노력이 뒤따라야 비로소 실효성 있는 리스크 관리가 가능해질 것입니다.

19.5 리스크 관리 역량 제고 방안

이처럼 일련의 관리 프로세스를 착실히 수행해 나가는 것도 중요하지만, 보다 근본적으로는 조직 전반의 리스크 관리 역량을 제고하기 위한 노력이 병행되어야 할 것 같습니다. 무엇보다 CEO를 비롯한 경영진이 솔선수범하여 리스크 관리의 중요성을 인식하고 실천 의지를 보여야 하며, 전사적 차원의 정책과 가이드라인을 마련하여 구성원 모두가 공감하고 참여하는 문화를 조성하는 것이 필요해 보입니다.

전담 인력을 확보하거나 별도 조직을 신설하여 상시 리스크를 점검하고 대응 방안을 고도화해 나가는 한편, 시나리오 플래닝이나 모의 훈련 등 실전 역량을 높이기 위한 프로그램을 운영하는 것도 좋은 방법이 될 것 같네요. 내부통제시스템을 구축하여 잠재 리스크를 상시 점검하고, 비상 상황에 대비한 매뉴얼과 대응 체계를 갖추는 것 또한 역량 강화의 일환이 될 수 있을 것 같습니다.

19.6 리스크 관리 성공 사례

이렇듯 다각도로 리스크 관리 체계를 구축하고 역량을 제고하기 위해 애쓴 창업 기업들 중에는 어려움을 슬기롭게 극복하고 더 큰 성장의 발판을 마련한 곳들이 적지 않은데요. 창업 초기부터 잠재 리스크 요인을 면밀히 분석하고 선제적 대응에 힘썼던 기업들은 시행착오를 최소화하고 안정적인 성장 기반을 다질 수 있었다고 합니다.

뿐만 아니라 예기치 못한 위기 상황이 닥쳤을 때에도 신속하고 효과적인 의사결정으로 피해를 최소화하고 오히려 반전의 계기로 삼은 사례들도 있더라고요. 대표적으로 모 게임 개발사는 유저 이탈 사태라는 존폐 위기에 직면했으나, 화급한 개선책을 마련하고 진정성 있게 소통함으로써 고객들의 신뢰를 회복하고 재도약의 발판을 마련할 수 있었다고 하네요.

이처럼 단발성 이벤트로 그치지 않고 일상 경영 활동의 일환으로 리스크 관리에 심혈을 기울인 기업들은 어려운 여건 속에서도 경쟁력을 유지하고 새로운 도약의 기회를 열어갈 수 있었습니다. 리스크에 유연하고 창의적으로 대처하는 민첩성이야말로 불확실성의 시대를 헤쳐 나가는 핵심 역량이 아닐까 싶습니다.

19.7 요약 및 시사점

지금까지 살펴본 바와 같이 창업 기업에게 있어 체계적이고 선제적인 리스크 관리는 지속 성장을 담보하는 필수 전략이자 과제라 할 수 있습니다. 단순히 눈앞의 위기에 임기응변식으로 대응하기보다는 잠재된 위험 요인을 항시 주시하고 통합적 관점에서 대비책을 강구하는 노력이 요구되는 시점인 것 같습니다.

나아가 리스크를 바라보는 창업가의 통찰력과 자세가 무엇보다 중요할 것 같은데요. 불확실성을 두려워하거나 거부할 것이 아니라, 이를 새로운 기회의 원천으로 활용할 수 있는 혜안을 갖추는 게 급선무가 아닐까 싶습니다. 위기를 기회로 전환하는 유연한 사고, 이해관계자들의 신뢰를 얻어내는 열린 소통. 단기적 시련을 넘어 지속 가능한 성장을 도모하는 혜안이야말로 진정한 리더의 자질이 아닐까 싶네요.

물론 내실 있는 리스크 관리 체계를 갖추는 것이 결코 하루아침에 이뤄지는 일은 아닐 것입니다. 경영 전반에 걸쳐 광범위한 영향을 미칠 수 있는 만큼 단계적이고 장기적 접근이 필요할 테고요. 때로는 예상치 못한 복병을 만나 좌절하게 될 수도 있겠죠.

그러나 포기하지 않는 끈기와 도전 정신만 있다면 분명 위기를 기회로 반전시킬 수 있으리라 확신합니다. 불확실성의 파도를 꿋꿋이 헤쳐 나가는 열정, 암초를 등대 삼아 더 넓은 바다로 항해하는 지혜. 그것이 바로 창업가 여러분께 리스크라는 거친 풍파가 가르쳐 줄 깨달음이자 역량이 아닐까요.

두려움에 주저앉지 마시기 바랍니다. 실패를 교훈 삼아 성장의 자양분으로 삼는 넉넉함, 시련 속에서 더 단단해지는 연금술. 위기를 바라보는 여러분의 눈빛 속에서 저는 이미 승리자의 면모를 봅니다. 리스크라는 암초를 디딤돌 삼아 어제보다 높이 비상하는 창업가 여러분의 열정에 아낌없는 박수를 보냅니다.

OPEN AI 더보기

창업 시 리스크 관리는 불확실성을 최소화하고 비즈니스의 안정성을 보장하는 데 필수적입니다. 창업 리스크를 효과적으로 관리하기 위한 프롬프트를 제공합니다.

1. 리스크 식별.

- “창업 과정에서 발생할 수 있는 주요 리스크는 무엇인가요?”

- “이러한 리스크가 비즈니스에 미칠 수 있는 영향은 어떻게 평가할 수 있나요?”

2. 리스크 우선 순위 결정.

- “식별된 리스크 중 어떤 것이 가장 큰 영향을 미칠 가능성이 높나요?”

- "어떤 리스크에 우선적으로 대응해야 하며, 그 기준은 무엇인가요?"

3. 리스크 대응 전략.

- "각 리스크에 대한 대응 계획은 어떻게 세울 수 있나요?"
- "리스크를 최소화하기 위해 사용할 수 있는 구체적인 방법은 무엇인가요?"

4. 리스크 감시 및 평가.

- "리스크를 지속적으로 모니터링할 수 있는 시스템은 어떻게 구축할 수 있나요?"
- "리스크 평가 결과를 어떻게 정기적으로 갱신하고 관리할 수 있나요?"

5. 재정 리스크 관리.

- "비즈니스의 재정적 리스크를 어떻게 관리할 수 있나요?"
- "예상치 못한 재정적 어려움에 대비하기 위한 방안은 무엇인가요?"

6. 법적 리스크 준비.

- "창업 관련 법적 리스크를 어떻게 식별하고 대비할 수 있나요?"

- "필요한 법적 문서와 절차를 준비하는 데 있어 주의해야 할 사항은 무엇인가요?"

7. 기술 리스크 관리.

- "비즈니스에 도입할 기술의 리스크는 어떻게 평가하나요?"

- "기술 도입과 관련된 리스크를 최소화하기 위한 조치는 무엇인가요?"

8. 인력 및 운영 리스크 관리.

- "인력 운영 중 발생할 수 있는 리스크는 어떻게 관리할 수 있나요?"

- "직원의 이직, 부상, 또는 운영 실패와 같은 리스크를 어떻게 줄일 수 있나요?"

이러한 프롬프트를 통해 창업 과정에서 발생할 수 있는 다양한 리스크를 체계적으로 관리하고, 비즈니스의 안정성을 유지하는 데 도움을 받을 수 있습니다. 리스크 관리는 예상치 못한 상황에 대비하여 비즈니스를 보호하고 장기적인 성공을 지향하는 중요한 과정입니다.

“위험은 피할 수 없는 것이 아니라,

관리해야 하는 것이다.”

앨런 그린스펀

사업 다각화 전략

20.1 사업 다각화의 개념과 유형

사업 다각화란 기업이 기존에 영위하던 사업 분야에서 벗어나 새로운 사업 영역으로 확장해 나가는 성장 전략을 말합니다. 제품이나 서비스 차원에서의 다각화는 물론 새로운 시장이나 고객층을 공략하는 것까지 포함하는 개념인데요. 그 유형은 기존 사업과의 연관성 여부에 따라 크게 관련 다각화와 비관련 다각화로 나눠볼 수 있습니다.

먼저 관련 다각화는 자사가 보유한 기술이나 역량, 브랜드 파워 등을 토대로 유사한 사업 분야로 사업 영역을 넓혀가는 전략을 의미합니다. 예컨대 제조업체가 기존 제품과 생산 공정이 유사한 신제품을 출시한다거나, 유통업체가 기존 점포 인프라를 기반으로 새로운 상권에 매장을 확장하는 것 등이 대표적 사례라 할 수 있겠죠. 반면 비관련 다각화는 전혀 새로운 사업 분야로 영역을 확장하는 것을 의미합니다. 직접적인 사업적 연관성은 낮을지라도 미래 성장성이 유망한 신규 사업에 진출함으로써 사업 포트폴리오를 다변화하고 새로운 수익원을 창출하는데 주안점을 두는 전략이라 하겠습니다.

20.2. 사업 다각화의 목적과 동기

그렇다면 왜 기업들은 사업 다각화에 나서는 걸까요? 무엇보다 지속 가능한 성장 기반을 확보하기 위함이라 할 수 있을 것 같습니다. 급변하는 경영 환경 속에서 현재의 주력 사업만으로는 미래 경쟁력을 담보하기 어려운 만큼, 끊임없이 새로운 성장 동력을 모색할 수밖에 없기 때문이죠. 신규 사업을 통해 안정적인 현금흐름을 창출하고 수익원을 다각화함으로써 외부 환경 변화에 유연하게 대처할 수 있는 체질을 만드는 것, 그것이 다각화 전략의 궁극적 목적이라 할 수 있겠습니다.

아울러 기존 사업에서의 매출 정체나 수익성 악화에 대응하여 새로운 성장 동력을 확보하고자 하는 것도 다각화의 주된 동기로 작용합니다. 시장 포화나 경쟁 심화로 인해 더 이상 기존 사업만으로는 고성장을 기대하기 어려운 상황에서 새로운 시장 기회를 모색하는 것은 어찌 보면 당연한 수순이라 할 수 있겠죠. 이 과정에서 기존에 보유한 자원과 역량을 새로운 분야에 적극 활용함으로써 시너지 효과를 창출하고 경쟁력을 제고하려 하는 것이 사업 다각화의 이면에 자리 잡고 있는 전략적 의도라고 할 수 있겠습니다.

20.3 관련 다각화 전략

기업들이 취할 수 있는 관련 다각화의 유형도 다양한데요. 크게 제품 다각화, 시장 다각화, 전후방 통합 전략 등으로 구분해 볼 수 있을 것 같습니다. 제품 다각화는 말 그대로 기존 제품이나 서비스를 보완 또는 발전시킨 신제품을 출시하는 방식으로,

대개 기술적 노하우나 브랜드 이미지를 활용하여 사업 확장의 교두보를 마련하게 됩니다. 기존 고객층을 대상으로 한 크로스 셀링은 물론 제품 라인업을 다양화함으로써 원스톱 솔루션을 제공하고 시장 지배력을 강화하는 데 주력하는 경우라고 할 수 있겠죠.

반면 시장 다각화는 기존 사업 역량을 기반으로 신규 시장을 적극적으로 개척해 나가는 성장 전략이라 할 수 있습니다. 국내 시장을 주 무대로 삼아왔던 기업이 해외로 사업을 확장한다거나, 특정 지역에 한정됐던 사업 반경을 전국 단위로 넓혀가는 것 등이 대표적 사례가 되겠네요. 온오프라인, 모바일 등 유통 채널을 다각화하는 것 역시 새로운 고객층을 확보하고 시장 침투력을 높이기 위한 시장 다각화의 일환이라 할 수 있습니다.

아울러 전략적 차원에서 공급망 상의 전후방 영역으로 사업 범위를 확장함으로써 수직계열화를 도모하는 것도 관련 다각화의 한 축을 담당하고 있습니다. 안정적 원자재 확보를 위해 공급업체를 인수한다거나 물류 및 유통망을 자체적으로 구축하여 수익성 제고에 나서는 것 등이 전형적인 사례라 할 수 있는데요. 이처럼 가치사슬 전반에 걸친 통합적 사업 운영을 통해 시장 지배력을 강화하고 시너지를 창출하려는 것이 전후방 통합 전략의 기본 방향성이라 하겠습니다.

20.4 비관련 다각화 전략

한편 비관련 다각화는 다소 모험적인 접근일 수 있지만, 장기적 관점의 미래 경쟁력 확보 차원에서 적극 고려해 볼 만한 전략 대안이 아닐까 싶습니다. 무엇보다 현재의 주력 사업 외에 신규 성장 동력을 확보함으로써 경영 리스크를 분산하고 지속 성장의 토대를 마련할 수 있다는 점에서 큰 매력으로 다가오는데요.

그 대표적 방식으로는 인수합병(M&A)을 통한 사업 포트폴리오 확장을 꼽을 수 있을 것 같습니다. 사업 환경 변화에 대응하여 미래 유망 분야의 기업을 인수함으로써 단번에 새로운 사업 기반을 확보하는 전략인데요. 자체적 역량 축적에 소요되는 시간과 비용을 절감할 수 있다는 점에서 비관련 다각화의 첩경으로 자리매김하고 있습니다.

또 하나 주목할 만한 방식은 전략적 투자를 통한 사업 다각화입니다. 사모펀드나 벤처캐피털 등에 대한 지분 투자, 또는 미래 먹거리가 될 만한 유망 기술 및 서비스 분야에 대한 선제적 투자가 대표적 사례가 되겠는데요. 직접 사업을 영위하는 방식은 아니지만 잠재력 있는 아이템을 발굴하고 육성함으로써 장기적 수익 기반을 구축하려는 포트폴리오 다변화의 일환이라 하겠습니다.

20.5 사업 다각화의 위험과 한계

하지만 이 같은 다각화 전략이 항상 장밋빛 청사진을 보장하는 것은 아닙니다. 만만치 않은 위험 요인과 한계에 직면할 수밖에 없는데요. 무엇보다 본업과의 이질성, 낮은 사업 연관성으로 인해 안정적 사업 운영이 쉽지 않다는 점을 지적하지 않을 수 없습니다. 기존 사업에서 축적된 역량을 십분 활용하기 어려운 만큼 새로운 사업에 대한 이해도 부족, 조직 관리의 복잡성 증대는 물론 시너지 창출마저 요원해질 수 있기 때문이죠.

나아가 신규 사업에 대한 과도한 투자가 재무 건전성을 악화시킬 수 있다는 점도 다각화가 안고 있는 위험 요소라 하겠습니다. 단기간 내 가시적 성과를 내기 어려운 만큼 장기간 자금 유출이 불가피할 텐데, 본업에서 창출한 현금흐름만으로 이를 감당하기란 여의치 않은 것이 사실입니다. 외부 자본 조달 규모가 커질수록 이자 부담은 물론 자본 구조의 취약성 또한 높아질 수밖에 없겠죠.

20.6 사업 다각화 추진 프로세스

그렇다면 이 같은 위험 요인을 최소화하면서 다각화 전략의 성공 가능성을 높이기 위해서는 어떤 점에 유의해야 할까요? 먼저 신중하고 치밀한 의사결정 프로세스가 전제되어야 할 것으로 보입니다. 시장 환경 변화와 트렌드에 대한 면밀한 분석, 내재된 위험 요인에 대한 냉철한 평가, 그리고 자사의 핵심 역량에 대한 객관적 진단이 선행되어야만 신규 사업 영역을 효과적으로 발굴하고 선별해 낼 수 있을 테니까요.

이어 선정된 사업 아이템의 시장성과 수익성, 사업 시너지 등을 종합적으로 검토하여 타당성을 면밀히 따져보는 과정 또한 결코 소홀히 해서는 안 되겠죠. 전략적 방향성에 대한 경영진의 합의를 바탕으로, 충분한 자료 분석과 이해관계자 간 논의를 거쳐 신중하게 의사결정이 이뤄질 수 있도록 해야 할 것입니다.

의사결정이 내려지고 나면 본격적인 실행 단계로 접어들게 되는데요. 기존 조직 체계로는 새로운 사업을 수행해 내기 어려운 만큼 전담 조직과 인력을 확보하고 권한과 책임을 명확히 부여하는 것이 중요합니다. 나아가 필요 자원을 적기에 투입하고, 사업 수행 경과를 주기적으로 모니터링하며 발생 가능한 문제점을 선제적으로 점검, 개선해 나가는 지속적 관리 또한 게을리 해서는 안 될 것입니다.

이 과정에서 가장 유의해야 할 점은 과도한 욕심을 경계하고 실행 가능한 범위 내에서 단계적으로 접근해야 한다는 사실일 것 같아요. 시장 변화에 발 빠르게 대응하되 성급함은 금물이란 말씀이죠. 시행착오를 겪더라도 원점에서 재검토할 수 있는 유연성, 그리고 궁극적으로는 신규 사업이 조직 전반에 안정적으로 뿌리내릴 수 있도록 속도 조절을 하는 지혜가 필요할 것 같습니다.

20.7 사업 다각화 성공 요인

이처럼 다각화의 길은 결코 순탄치 많은 않습니다. 얼마나 치밀하게 전략을 수립하고 신중하게 의사결정을 내리더라도 예상치 못한 암초를 만날 수 있는 것이 새로운 사업의 속성이기도 한데요. 그럼에도 기업이 장기적 생존과 지속 성장을 담보하기 위해서는 다각화를 향한 도전을 멈출 수 없을 것입니다. 변화를 기회로 삼는 혜안, 철저한 시장 분석과 준비된실행력, 그리고 실패를 교훈 삼아 더 높이 비상하는 열정. 다각화의 험난한 여정을 헤쳐나갈 수 있는 원동력은 바로 이런 것들이 아닐까 싶네요.

물론 성공적인 사업 다각화를 위해서는 몇 가지 요소가 전제되어야 할 것 같습니다. 우선 기업의 전략적 방향성과 부합해야 한다는 점인데요. 미래 비전 실현을 위한 의미 있는 한 걸음이 될 수 있어야 새로운 사업 진출의 당위성도 확보할 수 있을 테니까요. 신규 사업이 자칫 본업에 부정적 영향을 미치거나 경영자원을 분산시키는 결과로 이어져서는 곤란할 것입니다.

아울러 신규 사업이 궁극적으로는 시장에서의 경쟁우위로 이어질 수 있어야 한다는 점도 간과할 수 없겠죠. 차별적 가치 제안을 통해 고객의 마음을 사로잡고 지속 가능한 수익 기반을 확보하기 위해서는 단순히 남들이 하니까 따라 하는 식의 정책 결정은 지양해야 할 것 같아요. 치열한 시장 분석을 토대로 자사만의 브랜드 가치와 경쟁력을 증명해 낼 수 있는 분야를 전략적으로 선별하는 안목이 필요할 것으로 보입니다.

여기에 빼놓을 수 없는 것이 바로 '사람'의 문제인데요. 아무리 훌륭한 사업 계획도 이를 실행에 옮길 유능한 인재 확보가 뒷받침되지 않는다면 성공을 담보하기 어려울 것입니다. 신규 사업 분야에 전문성을 갖춘 핵심 인력을 영입하고 장기적 관점에서 자체 역량을 키워나가기 위한 투자가 병행되어야 할 것 같네요. 조직 구성원들의 혁신 DNA와 도전 정신, 그리고 본업과의 융합을 통해 시너지를 창출해 낼 수 있는 개방적 사고 역시 다각화 성공의 핵심 요소로 작용할 것으로 보입니다.

아무리 강조해도 지나치지 않을 것이 재무적 역량과 리스크 관리 능력인데요. 투자 대비 수익을 꼼꼼히 따져 사업성을 평가하고 건전성 있는 재무구조를 유지하기 위한 엄격한 기준 적용이 요구되는 대목이라 하겠습니다. 자금 운용의 효율성을 높이는 한편 외부 환경 변화에 즉각 대응할 수 있는 유연성 또한 갖추어야 할 것입니다. 사업 위험 요인을 상시 점검하고 만일의 상황에 대비한 비상계획을 마련해 두는 것 역시 결코 소홀히 해서는 안 될 부분이겠죠.

기업의 사활을 건 승부에 비유할 만한 사업 다각화의 길. 결코 순탄하지는 않겠지만 그만큼 새로운 성장의 기회와 가능성도 많은 길이라 할 수 있을 것 같아요. 불확실성의 안개 속에서도 앞으로 나아갈 수 있는 용기, 실패를 반복하더라도 결국엔 찬란한 성취로 보상받을 수 있으리란 믿음. 그 길을 밝혀줄 두 개의 등대가 아닐까 싶습니다.

본업에서의 충실함을 잃지 않되 새로운 가치 창출을 향한 열정 또한 꺼뜨리지 말아야 할 것입니다. 단기적 이익에 급급해 핵심 역량을 잃어버리는 우를 범하지 않도록, 장기적 비전을 향해 꿋꿋이 전진해 나가는 지혜가 필요할 때입니다. 때로는 절제와 인내의 시간도 있어야 하겠지만, 기회의 땅을 향해 내딛는 그 발걸음만큼은 멈추어서는 안 될 것 같아요.

지금 이 순간에도 사업 다각화의 갈림길에 선 많은 기업들이 고민에 빠져 있을 것입니다. 안주할 것인가, 변화할 것인가. 우뚝 서 있는 자신을 믿을 것인가, 새로운 가능성에 도전할 것인가. 저는 말하고 싶습니다. 두려워하지 말라고, 주저하지 말라고. 치열한 고민 끝에 내린 결정이라면 겁낼 필요가 없다고 말이죠.

다각화의 여정이 순탄치 않음은 이미 알고 있는 사실. 가시밭길을 헤쳐 나가는 고통을 각오해야 하는 것도 자명한 이치입니다. 그러나 그 길 위에서 맞닥뜨리게 될 새로운 세상에 대한 설렘, 그것이 우리를 앞으로 나아가게 하는 원동력이 될 거라 믿어 의심치 않습니다.

가보지 않은 길에 대한 두려움, 결과에 대한 불안함을 떨쳐내는 순간 비로소 새로운 성장의 문이 열리게 될 것입니다. 자신만의 빛깔로 그 길을 수놓아 가는 멋진 도전. 그 길 끝에서 여러분을 기다리고 있을 찬란한 성취를 확신하며 응원의 메시지를 전합니다.

사업 다각화라는 숭고한 모험의 항해를 시작하는 창업가 여러분의 앞날에 행운이 함께 하시기를 기원합니다. 때로는 암흑 같은 밤바다를 만나겠지만 별을 향한 그 열정만은 결코 잃지 마시기 바랍니다. 어두운 밤하늘에 홀로 빛나는 북극성처럼, 그 간절한 꿈을 향한 항해가 결국 여러분을 미지의 영토로 인도할 것이라 믿습니다.

OPEN AI 더보기

사업 다각화는 리스크를 분산하고 새로운 성장 기회를 탐색하기 위한 전략적 접근입니다. 다음은 사업 다각화 전략을 계획하고 실행할 때 유용한 프롬프트입니다.

1. 다각화의 이유와 목표.

- "사업 다각화를 고려하는 주된 이유는 무엇인가요?"

- "다각화를 통해 달성하고자 하는 구체적인 목표는 무엇인가요?"

2. 시장 조사 및 분석.

- "타겟으로 하는 새로운 시장의 현재 상태와 성장 잠재력은 어떻게 되나요?"

- "해당 시장에서의 경쟁 구도와 주요 경쟁자는 누구인가요?"

3. 내부 역량과 자원 평가.

- "현재 보유한 자원과 역량을 어떻게 활용하여 새로운 시장에 진입할 수 있나요?"

- "새로운 사업 영역에서 성공하기 위해 개발해야 할 추가적인 역량은 무엇인가요?"

4. 제품/서비스 다각화.

- "기존 제품이나 서비스를 어떻게 변형하거나 확장할 수 있나요?"

- "새로운 제품 또는 서비스 개발에 필요한 연구개발(R&D)은 어떻게 계획하고 있나요?"

5. 위험 평가 및 관리.

- "다각화에 따른 잠재적 위험은 무엇이며, 이를 어떻게 관리할 수 있나요?"

- "새로운 사업 영역으로 인해 발생할 수 있는 재정적, 운영적 위험을 어떻게 최소

화할 수 있나요?”

6. 전략적 파트너십 고려.

- “새로운 시장 진입을 위해 고려할 수 있는 전략적 파트너십은 무엇인가요?”

- “이러한 파트너십이 어떻게 사업 다각화 목표에 기여할 수 있나요?”

7. 구현 계획 및 실행.

- “다각화 전략을 구현하기 위한 단계별 계획은 어떻게 되나요?”

- “전략 실행 과정에서 필요한 핵심 이정표와 성과 지표(KPIs)는 무엇인가요?”

이 프롬프트들은 사업 다각화를 체계적으로 접근하고 실행하는 데 도움을 줄 수 있습니다. 다각화는 비즈니스를 새로운 시장이나 제품으로 확장하여 장기적인 성장과 안정성을 추구하는 전략적 결정입니다.

지속가능경영 전략

21.1 지속가능경영의 개념과 중요성

최근 기업 경영 패러다임에 있어 '지속가능성'이 핵심 화두로 떠오르고 있습니다. 재무적 성과와 더불어 환경적, 사회적 책임을 다하며 장기적 관점에서 이해관계자들의 가치를 극대화하는 것, 그것이 바로 지속가능경영의 궁극적 목표라 할 수 있는데요. 기업의 사회공헌 활동 차원에서 한 발 더 나아가 비즈니스 운영의 전 과정에서 경제, 사회, 환경적 가치 창출을 도모하는 CSV(공유가치창출) 개념으로 진화하고 있는 추세입니다.

이는 곧 기업의 생존과 성장을 좌우하는 새로운 경쟁력의 원천으로 자리매김하고 있습니다. 환경문제나 사회적 이슈에 적극 대응하는 기업일수록 평판이 높아지고 우수 인재 확보에도 유리해지는 등 무형의 자산 가치 또한 높아지고 있기 때문인데요. 이제 지속가능경영은 선택이 아닌 필수가 되었다 해도 과언이 아닐 것 같습니다.

21.2 지속가능경영의 Triple Bottom Line

지속가능경영의 핵심은 경제, 사회, 환경이라는 세 축의 조화로운 발전을 추구하는 데 있습니다. 이를 일컬어 삼중 하단 라인(Triple Bottom Line) 또는 3P(People, Planet, Profit)라고도 하는데요. 각각의 영역에서 어떤 목표를 추구해야 할지 좀 더 자세히 살펴볼까요?

먼저 경제적 지속가능성(Economic Sustainability)의 관점에서 기업은 안정적이고 장기적인 수익구조를 확립하기 위해 노력해야 합니다. 재무 건전성 제고와 투명한 지배구조 확립을 토대로, 끊임없는 혁신과 미래 성장 동력 확보에 매진해야 하는 것이죠.

다음으로 환경적 지속가능성(Environmental Sustainability) 차원에서는 자원 및 에너지 효율성 향상, 온실가스 감축, 폐기물 저감 등 환경영향 최소화를 위한 다각도의 노력이 요구됩니다. 제품 및 서비스 전과정에 걸친 체계적 환경경영이 이뤄질 때 비로소 기업의 녹색 경쟁력도 제고될 수 있을 것입니다.

마지막으로 사회적 지속가능성(Social Sustainability) 관점에서 기업은 인권 존중, 양질의 일자리 창출, 상생협력 등 CSR 과제들을 충실히 이행해 나가야 합니다. 지역사회와의 동반성장을 도모하고 다양한 이해관계자들과의 소통과 협업을 활성화함으로써 사회적 가치를 창출하는 데 앞장서야 하는 것이죠.

21.3 지속가능경영 전략 수립 프로세스

그렇다면 체계적이고 내실 있는 지속가능경영을 추진하기 위해서는 어떤 절차를 거쳐야 할까요? 우선 주주, 고객, 임직원 등 다양한 이해관계자들을 식별하고 각각의 요구와 기대수준을 면밀히 분석하는 한편, 자사의 비즈니스 특성을 고려한 핵심 이슈들의 우선순위를 도출하는 중대성 평가 과정이 선행되어야 할 것 같습니다.

이를 토대로 지속가능경영에 관한 비전과 목표를 수립하고 세부 실행 과제와 로드맵을 구체화하는 작업이 뒤따라야 하는데요. 최고 의사결정 주체인 CEO와 이사회의 관심과 역할이 무엇보다 중요할 것으로 보입니다. 전사 차원의 전담 조직을 신설하고 각 부서 간 유기적 협업이 가능한 체계를 구축하는 것도 빼놓을 수 없겠죠.

21.4 지속가능경영 성과 측정 및 보고

아무리 훌륭한 비전과 전략을 갖추고 있다 하더라도 제대로 실행되고 있는지를 입증하지 못한다면 공허한 메아리에 그칠 수밖에 없을 것입니다. 바로 지속가능경영 성과를 측정하고 투명하게 공개하는 노력이 병행되어야 하는 이유인데요.

GRI, DJSI, ISO26000 등 국제 기준과 평가 체계를 참고하되 자사의 특성에 맞는 KPI를 개발해야 할 것 같습니다. 정량, 정성 지표를 균형 있게 반영하고 각 부문별 담당자들이 체감할 수 있는 실효성 있는 지표 설계가 중요하겠죠. 나아가 데이터 취합 및 검증을 위한 프로세스를 체계화하고 주기적 모니터링과 피드백이 이뤄질 수 있는 시스템을 갖추는 것이 관건이 될 것 같네요.

더불어 경제, 사회, 환경 각 영역의 활동 성과와 향후 계획을 담은 지속가능경영보고서 발간을 통해 이해관계자들과 적극적으로 소통하려는 노력도 필요해 보입니다. 범용성과 신뢰성이 담보된 글로벌 보고 프레임워크를 준용하되, 이해관계자들의 접근성과 가독성을 높이기 위한 창의적 노력 또한 기울여야 할 것 같습니다.

21.5 지속가능경영과 기업 경쟁력 제고

이처럼 지속가능경영은 일회성 이벤트나 사회공헌 활동에 그치는 것이 아니라, 장기적 시계를 갖고 기업 경쟁력의 원천을 다지기 위한 전략적 선택의 문제라고 할 수 있을 것 같습니다. 잠재적 위험 요인에 선제적으로 대응하는 한편, 새로운 사업 기회를 발굴하고 지속가능한 비즈니스 모델을 창출해 낼 수 있는 토대가 마련되는 것이죠.

이는 곧 긍정적 브랜드 이미지와 평판으로 이어져 우수 인재 확보에도 유리한 고지를 점할 수 있게 됩니다. 임직원들의 자부심과 열정을 북돋우고 이들의 혁신 역량을 극대화하는 데에도 지속가능경영은 큰 역할을 한다는 점, 간과해선 안 될 것 같네요.

나아가 고객과 협력사 등 이해관계자들과의 신뢰 관계 구축에도 긍정적 영향을 미치게 되는데요. 최근 사회책임투자(SRI) 등 지속가능금융이 활성화되는 추세에서 기업의 지속가능경영 수준은 투자 유치에 있어서도 핵심 잣대로 자리매김하고 있는 상황입니다.

21.6 지속가능경영 국내외 동향과 사례

전 세계적으로 지속가능성에 대한 관심이 높아지면서 기업들의 적극적인 대응 움직임도 빨라지고 있는데요. UN에서 채택한 지속가능발전목표(SDGs)는 물론, 기후변화 위기 대응을 위한 탄소중립 경영이 대세로 자리 잡아 가고 있는 상황입니다. 글로벌 기업들의 ESG 정보공시 의무화 추세 역시 지속가능경영의 중요성과 시급성을 방증하고 있다고 볼 수 있겠죠.

우리 기업들도 산업 특성에 맞는 차별화된 전략으로 선제적 대응에 나서고 있는데요. 국내 대표 기업들의 지속가능경영보고서를 살펴보면 경제, 사회, 환경 각 부문에서 창의적인 CSV 활동 사례들을 다수 찾아볼 수 있습니다. 이해관계자 참여형 의사결정, 협력사 동반성장, 순환경제 비즈니스 모델 개발 등은 우리 기업들의 지속가능경영을 잘 보여주는 우수 사례라 할 수 있겠네요.

21.7 지속가능 창업 생태계 조성 방안

한편 창업 기업들의 경우 상대적으로 지속가능경영에 대한 인식과 실천 수준이 높지 않은 것이 사실인데요. 생존을 위해 매진하다 보면 중장기적 시계를 갖기가 쉽지 않은 것이 창업 현장의 현실이기도 합니다. 그러나 급변하는 경영 환경 속에서 지속가능성 없는 성장은 결코 바람직하지 않다는 점, 간과해선 안 될 것 같아요. 창업 기업이야말로 새로운 고민과 시도를 통해 지속가능한 비즈니스 모델 발굴에 앞장설 수 있어야 한다는 믿음이 있습니다.

이를 위해서는 무엇보다 창업 생태계 전반에 지속가능성의 가치를 스며들게 하는 다각도의 노력이 병행되어야 할 텐데요. 정부와 공공기관, 민간 액셀러레이터 등이 인큐베이팅 단계부터 지속가능경영 역량 강화를 위한 교육과 멘토링을 제공하는 한편, ESG 정보공개와 소통 창구 마련에도 힘써야 할 것 같네요.

임팩트 투자 활성화와 사회적 금융 기반 확대를 통해 지속가능한 혁신을 지원하고, 창업기업 간의 상생 협력과 공정한 거래 문화 확산을 위해서도 다양한 이해관계자들이 힘을 모아야 할 것으로 보입니다. 무엇보다 산학연관의 개방적 협력을 통해 ESG 문제 해결형 비즈니스 모델 발굴에 적극 나선다면 지속가능한 창업 생태계로의 전환도 앞당길 수 있지 않을까 기대해 봅니다.

21.8 요약 및 시사점

지금까지 지속가능경영의 개념과 중요성, 세부 전략 수립 및 성과 관리 방안, 그리고 국내외 추진 동향과 창업계에의 시사점 등에 대해 살펴보았습니다. 요컨대 지속가능경영은 이제 선택이 아닌 필수가 되었고, 장기적 기업 생존을 좌우하는 핵심 경쟁력으로 자리매김하고 있다는 점. 이는 곧 창업가 여러분에게도 던지는 하나의 화두이자 도전 과제가 아닐까 싶습니다.

경제적 성과, 사회적 책임, 환경적 건전성. 어느 하나 소홀히 할 수 없는 지속가능성의 세 축을 균형 있게 추구하기 위해 여러분은 무엇을 준비하고 실천해 나가야 할까요? 단기 성과에 연연하기보다는 긴 호흡으로 기업의 미래를 그려보는 지혜, 이해관계자들의 목소리에 귀 기울이는 공감의 리더십, 그리고 옳은 일이라면 주저 없이 도전하는 실행력. 결국 지속가능한 가치 창출의 열쇠는 여러분의 손에 달려 있다는 사실, 잊지 마시기 바랍니다.

물론 결코 쉽지만은 않은 길이 될 것입니다. 새로운 과제에 대한 두려움, 혼자서는 어찌할 수 없을 것만 같은 벅찬 막막함. 그런 순간순간마다 좌절하고 싶은 유혹이 엄습하겠지만, 그럴 때마다 지금 내딛는 한 걸음 한 걸음이 결코 헛되지 않으리라는 믿음을 잃지 않기를 바랍니다. 금이 가고 깨지고 부서지는 시간을 겪어내며 단단해지는 것, 그것이 바로 창업가 정신의 본질 아니겠습니까.

미래 세대에게 더 나은 삶의 기회를 물려주고 지속가능한 지구를 선물하는 일, 결코 그 누구도 대신해 줄 수 없는 우리 모두의 책무이자 소명이라는 각오로 이 길을 함께 걸어가는 여러분이 있기에 저는 오늘도 희망을 말할 수 있습니다. 내일의 빛나는 역사를 써 내려갈 창업가 여러분께 경의를 표하며, 그 위대한 도전에 제 마음 가득한 응원의 메시지를 보냅니다.

이제 다시 처음으로 돌아가 봅니다. 여러분은 왜 창업을 하셨나요? 세상에 없던 가치를 만들어내고픈 열정, 누구도 가보지 않은 길을 개척하고픈 도전 정신. 바로 그 초심으로 돌아가는 순간, 불확실성의 짙은 안개 너머로 환한 희망의 빛이 어렴풋이 보이지 않나요?

지속가능한 내일을 향한 우리의 항해는 이제 막 시작되었을 뿐입니다. 암초와 풍랑이 가로막는 험난한 여정이 되겠지만, 포기할 수 없는 꿈을 나침반 삼아 힘차게 전진해 나갑시다. 가슴 벅찬 희망의 새 지평이 저 너머에서 우리를 기다리고 있을 테니까요. 함께 만들어갈 지속가능한 미래, 우리가 바로 주인공입니다!

OPEN AI 더보기

지속가능경영은 오늘날 비즈니스가 당면한 중요한 도전 중 하나로, 환경, 사회, 거버넌스(ESG) 요소를 사업 전략에 통합하는 것을 포함합니다. 다음은 지속가능경영 전략을 수립하고 실행할 때 유용한 프롬프트입니다.

1. 지속 가능한 비전과 목표 설정:

- "우리 회사의 지속가능경영 비전은 무엇인가요?"

- "단기 및 장기적으로 달성하고자 하는 지속가능경영 목표는 무엇인가요?"

2. 환경 영향 평가:

- “우리 사업 활동이 환경에 미치는 영향은 무엇인가요?”

- “이러한 환경 영향을 줄이기 위해 어떤 조치를 취할 수 있나요?”

3. 사회적 책임 전략:

- “사회적 책임을 지속가능경영에 어떻게 통합할 수 있나요?”

- “지역 사회와의 협력을 통해 어떤 긍정적인 영향을 줄 수 있나요?”

4. 지속가능한 공급망 관리:

“공급망에서 지속 가능한 관행을 어떻게 적용할 수 있나요?”

- “공급업체와의 파트너십을 통해 지속가능성을 어떻게 증진할 수 있나요?”

5. 에너지 및 자원 효율성 개선:

- “에너지 사용을 최적화하기 위한 전략은 무엇인가요?”

- “자원 재활용 및 재사용을 통해 비용과 환경 영향을 어떻게 줄일 수 있나요?”

6. 지속가능한 제품 및 서비스 개발:

- "지속 가능한 제품이나 서비스를 개발하는 데 있어서 주요 고려사항은 무엇인가요?"

- "고객과 시장에 지속가능한 제품의 가치를 어떻게 전달할 수 있나요?"

7. 내부 문화 및 교육:

- "직원들에게 지속가능경영의 중요성을 어떻게 인식시킬 수 있나요?"

- "지속 가능한 실천을 조직 문화의 일부로 어떻게 만들 수 있나요?"

8. 성과 모니터링 및 보고:

- "지속가능경영 성과를 어떻게 측정하고 모니터링할 수 있나요?"

- "지속가능성 보고는 어떻게 구성하고 이해관계자에게 어떻게 공개할 수 있나요?"

이 프롬프트를 활용하여 비즈니스가 지속 가능한 관행을 구현하고, 경제적, 환경적, 사회적으로 긍정적인 영향을 미칠 수 있는 전략을 수립할 수 있습니다. 지속가능경영은 비즈니스의 장기적인 성공과 브랜드 가치를 향상시키는 중요한 요소입니다.

"어제의 홈런으로 오늘 경기에서 이길 수는 없다."

베이브 루스